O Ddawns i Ddawns

Cyflwynedig i'm rhieni,
HUGH a MENNA

Argraffiad cyntaf: Tachwedd 1990

ⓗ Y Lolfa 1990

Rhif Llyfr Safonol Rhyngwladol: 0 86243 229 4

Cyhoeddwyd dan gynllun comisiynu'r Cyngor Llyfrau
Cymraeg.

Llun y clawr: Keith Morris
Golygu: Y Cyngor Llyfrau Cymraeg

Argraffwyd a chyhoeddwyd yng Nghymru
gan Y Lolfa Cyf., Talybont, Ceredigion SY24 5HE;
ffôn Talybont (0970 86) 304, ffacs 782.

O Ddawns i Ddawns

Gareth F Williams

O body swayed to music, O brightening glance,
How can we know the dancer from the dance?
W.B.Yeats, *Among School Children*

Pa ryfedd, yn wir, fod y cnawd di-lun
Yn cael y fath sbort am ei ben ei hun?
T.H.Parry-Williams.

GWENNO

Gwyddai'n iawn fod y merched yn chwerthin am ei phen drwy'r ffenestr.

Roedd Gwenno wedi bod yn eu gwylio'n brysio o'r gampfa ar draws buarth yr ysgol, tair ohonynt yn gwthio'n erbyn ei gilydd wrth geisio rhannu cysgod prin un ymbarél tila a'u pennau i lawr yn erbyn y glaw fel petai arnynt gywilydd mawr am rywbeth. Wrth iddynt gyrraedd ffenestr ystafell y penaethiaid blwyddyn taflodd un ohonynt gipolwg i mewn; ar amrantiad roedd y tair efo'u hwynebau'n erbyn y gwydr, wrth eu boddau o weld Gwenno'n cael ram-dam iawn gan Mali Meipan unwaith eto.

O, doswch o'ma, plîs doswch o'ma! sgrechiodd Gwenno'n fud arnynt. Ceisio gwneud iddi chwerthin roedd y merched, ond teimlo fel tynnu'i thafod neu godi dau fys yn ôl roedd Gwenno. Roedd Mali Prydderch yn syllu arni dros y bwrdd, yn benderfynol yn ôl pob golwg o'i chadw'n sefyll yng nghanol yr ystafell am weddill yr awr ginio. Cododd Gwenno'i llygaid nes ei bod yn edrych dros ben yr athrawes a'r genethod, trwy'r ffenestr a thrwy'r glaw.

'Ond pam wyt ti'n mynnu gneud y petha 'ma, Gwenno?' holodd Mali Meipan. 'Dyna be dw i'n methu'n glir â dallt. Pam?'

Ochneidiodd Gwenno a thynnodd ychydig ar goler ei blows. Er ei bod hi bron yn fis Tachwedd a'r clociau wedi'u troi awr yn ôl ers tridiau, teimlai'n hynod o boeth yn yr ystafell fechan. Nid oedd Mali Meipan wedi meddwl cynnig cadair iddi, dim ond ei phloncian ei hun y tu ôl i'r bwrdd cyn cychwyn cyfarth, a mẁg Eisteddfod Genedlaethol Bro Madog yn llawn te o'i blaen.

'Chwara teg rŵan, rwyt ti'n rhy hen i lol fel hyn. 'Ti'n ymddwyn fwy fel hogan yn y drydedd flwyddyn na'r bumed,' meddai Mali. Gwgodd. 'Oes 'na rywbeth yn bod?'

O, na! Roedd Mali Prydderch yn amlwg wedi penderfynu 'siarad' yn hytrach na dwrdio fel arfer. Miss Prydderch, cyfaill a phennaeth y bumed flwyddyn, yn gwisgo'i mwgwd caredig, yr wg bryderus ar ei hwyneb yn gweddu'n berffaith i athrawes a boenai'n wironeddol am ei disgyblion.

Does arna i ddim angen hyn, meddyliodd Gwenno.

''Mond gofyn am ga'l benthyg beiro goch wnes i,' meddai. 'Ffŷs mawr am ddim byd . . . '

Edrychodd Mali Meipan fel petai Gwenno wedi'i chlwyfo'n ofnadwy.

'Dydi hynna ddim yn wir, yn nac ydi, Gwenno? Mi wyddost ti hynny gystal â minna. Wneith sefyll yma'n palu clwydda ddim helpu o gwbwl.'

Pwysodd un o'r genethod oedd y tu allan i'r ffenestr ei thrwyn yn erbyn y gwydr a rowlio'i llygaid yn wallgof, tra gwenodd ei ffrindiau fel dwy giât.

Teimlodd Gwenno dafod oer o chwys yn llyfu i lawr rhwng ei bronnau. Nid oedd wedi bwyta llawer o ginio. Serch hynny, roedd yr ychydig sglodion a gawsai'n pwyso'n drwm arni.

'A dydi hwn ddim fath â 'sa fo'n dro cynta chwaith, yn nac ydi?' mynnodd Mali Prydderch.

'Dw i 'rioed wedi ca'l 'y nal yn siarad mewn prawf Hanes o'r blaen . . . ' cychwynnodd Gwenno.

'Ddim dyna be dw i'n feddwl, yn naci!' Llithrodd mwgwd yr athrawes wrth iddi farcuto'n gas dros y bwrdd. Peidiodd y merched â thynnu ystumiau ar ôl ei chlywed yn gweiddi.

Caeodd Gwenno'i llygaid. Cafodd yr argraff chwim fod waliau'r ystafell wedi symud ychydig yn nes at ei gilydd gan fygwth cwrdd yng nghanol y llawr lle safai hi, Gwenno. Toddodd ei chorff yn domen o chwys a gallai glywed carlamau'i chalon yn llenwi'i phen. *Paid â chwydu, Gwenno, paid â chwydu, paid â chwydu.*

Agorodd ei llygaid. Diolch byth, roedd y waliau wedi camu'n ôl.

Roedd y Feipan wrthi'n astudio ffeil.

'Dyma'r drydedd waith y tymor 'ma imi ga'l achos i dy alw di i mewn yma, 'dê? A dim ond newydd gael hanner tymor Diolchgarwch rydan ni.' Cododd ei llygaid o'r ffeil. 'Ma' dy athrawon di i gyd, fwy ne lai, yn cwyno amdanat ti, yn methu dallt be sy wedi dŵad drostat ti'n ystod y flwyddyn ddwytha. Be sy, Gwenno?'

Cododd Gwenno'i hysgwyddau.

'A phaid â gneud rhyw hen stumia plentynnaidd fel 'na! Os nad wyt ti'n poeni rŵan, yna mae'n hen bryd i chdi ddechra gneud. Hon ydi dy flwyddyn bwysica di yn yr ysgol—siawns bod gen ti ddigon o synnwyr cyffredin i werthfawrogi hynny.'

Tynnodd y genethod yn y ffenestr fwy o ystumiau nag erioed wrth glywed yr hen eiriau cyfarwydd yn llifo o enau'r Feipan. Gan chwifio'u dwylo ar Gwenno aethant i ffwrdd.

'Dw i'n prysur golli 'mynadd efo chdi, Gwenno. Dw i bron iawn â mynd â chdi i weld y prifathro.'

O, *big deal!* meddyliodd Gwenno. Go brin fod hwnnw hyd yn oed yn gwybod pwy ydw i. Roedd gweld y prifathro'n cerdded o gwmpas yr ysgol mor brin â chael cipolwg ar Fwystfil Loch Ness.

'Dwn i'm be i'w neud efo chdi, wir.'

Beth bynnag ydi o, crefodd Gwenno'n dawel, gwna fo'n fuan.

Teimlai'n agos iawn at lewygu.

Craffodd Mali Prydderch arni. 'Gwenno—wyt ti'n

teimlo'n iawn?' Roedd yr eneth yn wyn fel blawd, a gallai weld haen ddisglair o chwys yn gloywi'i grudd-iau.

'Na, dw i'n iawn, Miss . . . 'mond rhyw boen bach yn 'y mol i.'

"Ti'n siŵr?'

Nodiodd Gwenno, ac estynnodd yr athrawes hen focs esgidiau o ben cwpwrdd ffeil metel, gwyrdd. ''Sgen i ddim dewis,' meddai, 'rhaid imi dy roi di ar adroddiad dyddiol.' Dechreuodd lenwi'r ffurflen fechan, sgwâr: Gwenno Lloyd, Dosbarth 5W. 'Pa wersi sgen ti pnawn 'ma?'

'Cymraeg a Cwcÿri.'

'Miss! Miss . . . '

'Gofyn i dy athrawon di lenwi hwn ar ddiwedd pob gwers . . . ond wedyn, rwyt ti'n hen ddigon cyfarwydd efo'r broses yma bellach, yn dwyt ti?'

Cymerodd Gwenno'r adroddiad a throdd am y drws.

'Mi fydda i'n mynnu bod dy dad a dy fam yn dŵad i'r Noson Rieni wsnos nesa, 'mond i chdi ga'l dallt.' Gafaelodd Gwenno yn handlen y drws. 'Gwenno—?'

O'r nefi—be rŵan eto? Trodd yn ei hôl.

'Oes 'na unrhyw draffarth—unrhyw broblem—y dylwn i wbod amdani?' Ysgydwodd Gwenno'i phen. 'Yma i dy helpu di ydan ni, ysti. Ddim dy elynion di ydan ni.'

Y chdi fasa'r olaf i ga'l gwbod, Mali Meipan, meddyliodd. 'Nac oes, Miss, dim byd. Ga i fynd rŵan?'

Gyda'i cheg fel min pensel, nodiodd Miss Prydderch a throdd Gwenno eilwaith am y drws. Llifodd y sŵn o'r cyntedd fel arogl i mewn i'r ystafell wrth iddi gamu allan a chau'r drws ar ei hôl.

Eisteddodd Mali Prydderch am rai eiliadau'n syllu'n syth o'i blaen, ei meddwl ar y ferch ifanc oedd newydd ymadael. Yna cofiodd yn sydyn am ei the. Gafaelodd yn ei mŵg a chymerodd lwnc, cyn troi'i thrwyn o ganfod ei gynnwys bellach yn hollol oer.

* * * * * * *

Roedd y twrw yn y cynteddau'n fyddarol, sŵn dwsinau o blant a phobl ifainc wedi'u caethiwo rhwng muriau'r ysgol gan y glaw. Eisteddent mewn rhesi aflonydd ar feinciau isel pren dan begiau'r cotiau yn yr ystafell-ddillad, yn pryfocio ac yn pwnio, yn chwerthin a chleb-ran a chadw stŵr, â sawr trwm y cotiau gwlyb yn trwytho'r aer. Safai dau athro nid nepell oddi wrthynt, wedi hen roi'r gorau i weiddi am ryw fath o dawelwch.

Sarffodd Gwenno'i ffordd heibio i'r athrawon a thrwy'r genethod a oedd wedi ymgasglu wrth ddrws toiledau'r merched. Ni sylwodd o gwbl ar eu protestio wrth iddi fyrlymu drwy'u canol. Go brin y buasai wedi medru eu hateb p'run bynnag: roedd y cyfog yn bygwth ffrwydro i fyny'i gwddf unrhyw eiliad.

Chwe chuddygl oedd i'r toiledau, a dim ond cael a chael i mewn i'r un gwag cyntaf a wnaeth hi. Gwyrodd dros y bowlen heb hyd yn oed gael amser i gau'r drws ar ei hôl yn dynn, ei phen rhwng ei breichiau a'i dwylo'n gwasgu oerni caled peipen y tanc dŵr. Teimlodd gyhyrau'i stumog yn dirdynnu'n boenus, ond ni ddaeth dim i fyny heblaw am ambell ddarn o sglodyn ymysg sur-ni'r cyfog gwag.

Arhosodd Gwenno felly am dros funud wedi i'r pwys ballu, gan boeri o bryd i'w gilydd wrth ddisgwyl i'r chwiban uchel, fain farw o'r tu mewn i'w phenglog. Yn raddol, daeth yn ymwybodol o'r lleisiau chwilfrydig o'r tu ôl iddi.

'Ych! Gwenno—!'
'Be 'di'r matar efo hi?'
'Gwenno—wyt ti'n O.K.?'
'Ma' hi 'di chwdu!'
''Ti'n iawn? Wyt ti isio i ni nôl y Feipan?' Sythodd

Gwenno. 'Llyncodd. Roedd ei gwddf ar dân. 'Na . . . '
Llyncodd eilwaith: gwell. 'Na, dw i'n O.K. rŵan.
Diolch . . . ' Rhoes ei stumog un llam bychan cyn
llonyddu. Ceisiodd wenu drwy'r dagrau poeth ar y môr o
wynebau o'i blaen. 'Sori . . . '

'Wyt ti'n *siŵr* dy fod di'n iawn? 'Ti'n edrach fath â
sombi,' meddai Carys Wyn wrthi.'

'Diolch yn fawr. Dwyt ti ddim yn Fadonna dy hun.'
Griddfan.

'Does 'na'm byd o'i le efo hon!'

Fesul un, collodd y gwylwyr ddiddordeb. Aeth rhai
ohonynt allan o'r toiledau, arhosodd eraill i sgwrsio ac
ailgynheuodd Carys Wyn sigarét a ddiffoddodd yn syth
pan ffrwydrodd Gwenno ati i'r tŷ bach.

Edrychodd Gwenno ar ei llun yn y drych uwchben y
basnau ymolchi. Wyt, rwyt ti yn edrach fath â sombi,
meddai wrthi'i hun, mae Carys Wyn yn iawn. Roedd ei
hwyneb yn glaerwyn gyda dau smotyn coch yn uchel ar
ei bochau a'i llygaid brown yn fawr ac yn waedgoch yn ei
phen.

Dyna'r draffarth efo cael gwallt du, meddyliodd:
mae rhywun wastad yn edrach gymaint gwaeth ar ôl
chwydu. Ond roedd cysgod arall yn llechu y tu ôl i
welwder Gwenno, a gwyrodd yn sydyn i daflu dŵr oer
dros ei hwyneb. *'Na chdi, golcha'r ofn i ffwrdd, bodda
fo . . .*

Gwnaeth y dŵr fyd o les iddi; bron y gallai deimlo'i
lliw yn dychwelyd. Hwyrach mai 'mond salwch cyff-
redin oedd o wedi'r cwbl . . .

O, ia!

'Be wnest ti—byta gormod i ginio?' gofynnodd
Carys.

Sychodd Gwenno'i hwyneb gyda thyweli papur caled,
piws.

'Rhyw hen fŷg sy'n mynd o gwmpas,' meddai. 'Trystio
fi i'w ddal o.' Dyna a ddywedodd wrth ei mam, air am

air, y bore hwnnw. 'Ges i job i fyta 'nghinio heddiw.'

Chwythodd Carys fwg trwy'i ffroenau. 'Dw i'n ca'l job i fyta'r slwj hwnnw *bob* dydd. Ma' rhywun angan ffag i ga'l gwarad â'i flas o.'

Mentrodd Gwenno edrych yn y drych unwaith eto. Oedd, roedd ei lliw wedi dychwelyd yn llawn, bron. O edrych arna i, meddyliodd, fasa neb yn gallu deud 'mod i newydd daflu i fyny—heblaw am y surni anghynnes yn fy ngheg.

Trodd at Carys.

''Sgen ti'm da-da mint ga i?'

Wrth gwrs fod gan Carys Wyn dda-da mint: cyfarpar angenrheidiól pob ysmygwr slei. Rhoddodd ddau o rai tewion Extra Strong i Gwenno wrth i'r gloch electronig hercian yn uchel drwy'r ysgol. Cynyddodd y sŵn yn y cynteddau'n syth a brysiodd Carys i ollwng ei stwmpen i mewn i un o'r toiledau a thynnu'r dŵr arni cyn i athrawes ddod i hebrwng y genethod i'w gwersi. Gwyliodd y stwmpen yn troi a throsi yn y bowlen fel corff wedi'i foddi, yn gwrthod diflannu gyda'r dŵr.

Rhegodd Carys. 'Ma'r bogs 'ma'n anobeithiol, hogan.' Rhwygodd sawl tudalen o bapur tŷ bach o'r rhowlyn yn ochr y cuddygl a'u gollwng i mewn i'r bowlen. Syrthiasant fel amdoeau dros gorpws y sigarét.

''Na ni, mi wneith hynna'r tro am rŵan.' Edrychodd ar Gwenno. 'Wyt ti'n barod?'

Nodiodd Gwenno. 'Mor barod ag y bydda i, mwn.'

Cychwynnodd y ddwy am y drws.

'Wyt ti wedi gneud y traethawd 'na i Kodak?' holodd Carys, gan gyfeirio at yr athro Cymraeg oedd â phlwc nerfus anffodus i'w lygad chwith.

Tro Gwenno ydoedd i regi'n awr. 'Naddo. Ches i'm amsar.'

'Ma' rhywun amdani hi felly.' Gwenodd Carys wrth agor y drws.

Ceisiodd Gwenno chwerthin yn ddi-hid, ond swniai'n

wag hyd yn oed iddi hi'i hun. Roedd ganddi lawer iawn mwy ar ei meddwl na chynddaredd unrhyw athro.

* * * * * *

Glawiodd yn ddi-baid drwy'r prynhawn, hen law mân a phenderfynol a wlychai bawb yn slei a thrwyadl. Llechen lydan, lwyd oedd yr awyr; anodd oedd dychmygu bod ynddi haul yn llechu rywle y tu ôl i'r cymylau beichiog. Roedd y Cnicht a'r ddau Foelwyn fel petaent heb fodoli erioed, a gwisgai Greigiau Tremadog len wlyb o niwl am eu copaon.

Tywydd annwyd os bu yna erioed, meddyliodd Arwel. Safai yn nrws yr ysgol yn gwylio'i fws yn mynd am Gricieth, ei ffenestri'n stêm i gyd. Roedd yr holl adeilad fel petai'n ymlacio drwyddo wedi prysurdeb gwyllt y deng munud diwethaf wrth i bawb, bron, ruthro oddi yno'n wyllt. Does unman gwacach nag ysgol heb ynddi blant.

Tynnodd Arwel ei arian o boced ei drowsus i'w sicrhau'i hun eto fod ganddo ddigon i dalu am docyn trên adref. Roedd eisoes wedi ffonio'i fam i'w rhybuddio na fyddai'n cyrraedd adref am chwarter wedi pedwar fel arfer ond llyncodd y peiriant ei unig ddarn deg cyn iddo gael cyfle i egluro pam.

Gwyliodd gar un o'r athrawon yn gyrru i lawr lôn yr ysgol, yr olwynion yn hisian ar ei hwyneb fel nadroedd. Edrychodd ar ei wats: bron yn chwarter i bedwar. Trodd ei ben i syllu am yr ugeinfed tro i fyny'r cyntedd gan ddyfalu beth gythgam roedd y ddynas yna'n ei wneud?

Bachgen tal a thenau oedd Arwel gyda llond pen o wallt oren llachar a thrwchus. Roedd ar ei flwyddyn gyntaf yn y Chweched Dosbarth, yn astudio Cymraeg, Saesneg ac Ysgrythur. Nid oedd ei waith ysgol yn fwrn arno o gwbl; roedd digon yn ei ben a, hyd yn hyn o leiaf, roedd yn mwynhau'i gyrsiau lefel-A.

Ond fel pawb, roedd rhywbeth bach yn ei boeni—y fintai haerllug, ddi-droi'n-ôl o smotiau diolwg a oedd wedi penderfynu mai ar wyneb Arwel Elis oedd y Lle i Fod.

Roedd wedi arbrofi gyda phopeth o sebonau arbennig i boteli ar boteli o gemegau, ond doedd dim wedi tycio. Mewn ffit o anobaith un bore, crybwyllodd—dros y bwrdd brecwast o bob man—mai'r peth gorau i'w wneud hyd y gwelai ef fuasai crafu'r smotiau i gyd i ffwrdd hefo rasal ac aros i'w groen ail dyfu.

Tagodd ei fam ar ei thôst. 'Mi fasat ti'n beth tlws wedyn, yn basat?' meddai. Ailafaelodd yn ei darn tôst, ond wedi edrych arno am eiliad gollyngodd efo yn ôl ar ei phlât.

'Ma'n nhw'n siŵr o fynd mewn amsar,' cysurodd ei dad ef.

Cysur bychan ar y naw, meddyliodd Arwel. Roedd ei dad efallai yn llygad ei le—ond beth wnâi ef yn y cyfamser? Byw bywyd mynach, yn cerdded o gwmpas y lle efo wyneb fel bwrdd dartiau a chanu cloch fechan lle bynnag y byddai'n mynd, er mwyn rhybuddio pawb ei fod ar ei ffordd?

Methai ei rieni ddeall pam yr oedd yn poeni cymaint. Onid oedd ganddo gariad fach ddel? A faint o hogiau yn ei oed ef oedd wedi methu'n glir â chael yr un hogan i fynd allan efo nhw? Gallai Arwel Elis fod yn ddiolchgar.

Roedd hynny'n wir—o leiaf tan yn ddiweddar. Er nad oedd wedi lleisio'i ofnau gartref, credai Arwel ers dros fis bellach fod ganddo le i bryderu. Doedd dim wedi'i ddweud yn blwmp ac yn blaen, ond teimlai ym mêr ei esgyrn nad oedd pethau fel y dylen nhw fod rhyngddo ef a Gwenno. Ofnai mai arno ef roedd y bai; dylai weithio'n galetach i gadw'r garwriaeth yn iach a bywiog, ond doedd hynny ddim yn hawdd â gwaith ysgol yn mynnu ymyrryd bob cyfle.

O'r diwedd, clywodd sŵn drws yn agor a chau y tu

hwnt i dro'r cyntedd a sŵn traed yn dod yn fân ac yn fuan tuag ato. Trodd i'w croesawu efo gwên.

O'r nefi wen! meddyliodd Gwenno o weld y pen oren cyfarwydd yn aros amdani wrth y drws. Dim rŵan, Arwel—plîs! Pam na fasa chdi wedi mynd adra fath â phawb arall a gadael i mi dy ffonio di ymhellach ymlaen heno 'ma?

''Ti'n dal yn fyw, felly?' cyfarchodd Arwel hi.

'Edrach felly'n dydi?' atebodd Gwenno'n swta. Bron y medrai glywed gwên Arwel yn diflannu o blith ei smotiau. Gwenno, Gwenno—paid â bod mor gas wrth y creadur, fe'i ceryddodd ei hun drosodd a throsodd.

'Sud wyt ti'n teimlo rŵan?' gofynnodd Arwel.

'Ffed yp!'

'Carys Wyn ddudodd dy fod di'n sâl amsar cinio. Ydi hwnnw wedi pasio rŵan?'

Edrychodd Gwenno arno a meddalodd ryw gymaint. Ni fedrai beidio ag ymateb i'r pryder amlwg yn ei lygaid.

'Do, mae o wedi hen fynd,' meddai. Am ryw hyd, beth bynnag, sibrydodd rhyw lais bach milain y tu mewn iddi. 'Gafaela yn hwn am funud.'

Rhoes fag cynfas hefo llun y grŵp U2 arno i Arwel ei ddal tra gwisgodd ei chôt.

'Be oedd o?' holodd Arwel.

''Mond y bỳg 'ma sy'n mynd o gwmpas. A'r peth dwytha ro'n i isio wedyn oedd has'l gan y Feipan.'

'Be wnest ti i bechu'n erbyn honno eto fyth?'

'Ca'l copsan yn siarad yn ystod y prawf Hanas 'na bora 'ma. Dw i'n synnu fod Carys Wyn geg fawr heb ddeud hynny wrthat ti hefyd.' Cydiodd Gwenno yn ei bag.

'Wel, mi ddaru hi sôn rwbath . . . '

'Do, mwn. Ydi hi'n dal i fwrw?'

'Yndi.' Daliodd Arwel y drws ar agor iddi. 'Fedran ni wastad ofyn i'r Feipan am lifft.' Gwgodd Gwenno arno. 'Jôc . . . '

'Faswn i ddim yn gofyn i honno am lifft 'tawn i ar 'y nglinia yn y Sahara.' Tynnodd Gwenno ymbarél bychan o'i bag ac agorodd ef. 'Tyrd 'ta os wyt ti'n dŵad.'

Camodd y ddau allan i'r glaw, Arwel bron yn ei gwman dan gysgod yr ymbarél. 'Dydi heddiw 'ma ddim yn ddiwrnod i chdi, Gwenno, yn nac ydi?'

'Colli dy fŷs wnest ti?' meddai Gwenno'n swta eto. Glynodd dail meirw wrth esgidiau'r ddau wrth iddyn nhw frysio i lawr lôn yr ysgol.

'Naci, naci—'mond meddwl y baswn i'n aros i weld sud oeddat ti. Dw i'n difaru gneud rŵan.'

'Wnes i'm gofyn i chdi aros, yn naddo? Mi fasa waeth 'sa chdi heb, ddim. Mynd yn syth adra dw i am 'i neud.'

Ni ddywedodd Arwel ddim. Hyd yn hyn, cysgodwyd hwy i raddau gan adeiladau'r ysgol ond unwaith y cerddasant heibio i'r cantîn doedd dim rhyngddynt a'r gwynt. Chwythai dros wastadedd y Traeth Mawr gan boeri'n faleisus arnynt. Teimlodd Gwenno'i sgert ysgol frown yn glynu'n anghysurus yn ei choesau a phrysurodd ei chamau, gan orfodi Arwel i hercian ychydig fel sim-pansî wrth ei hymyl, ei fag lledr du'n curo'n erbyn ochr ei ben-glin.

Wedi cael rhyw hen ddiwrnod digon cas roedd yr hogan, Arwel, ceisiodd ei gysuro'i hun; roedd hi'n hollol naturiol ei bod hi'n biwis. Serch hynny, gwyddai y buasai'n well gan Gwenno petai ef wedi dal ei fws adref. Nid oedd wedi edrych unwaith i fyw ei lygaid, heb sôn am wenu arno. Nid oedd chwaith i weld yn poeni'r un iot a oedd o'n gwlychu ai peidio, yn ôl yr ychydig fodfeddi cyndyn a gawsai o gysgod ei hymbarél.

Trodd Arwel i edrych arni, ond cerddodd Gwenno ymlaen a'i llygaid wedi'u hoelio ar wyneb y lôn. O gornel ei llygaid gallai weld Arwel yn troi ati bob hyn a hyn, a gwyddai na fedrai siarad ag ef heb fod yn gas ac yn goeglyd.

Croesodd y ddau y bont fechan dros y Cyt, ac oedodd Gwenno am eiliad.

'Ma' golwg fwdlyd iawn ar y llwybr 'na,' meddai Arwel.

'Be . . . ?'

Nid oedd Gwenno wedi meddwl am y llwybr bychan a gydredai â'r Cyt, dros y ddwy gamfa o boptu'r rheilffordd a heibio i gefn y garej lle gweithiai ei thad. Yn hytrach, wedi gweld rhywbeth yn ffenestr gwesty'r Queens dros y ffordd roedd hi, sef poster llachar yn hysbysebu cynnal disgo arall yno. Llanwodd ei stumog wrth i'r ofn godi eto y tu mewn iddi.

'Deud bod y llwybr 'na'n fwd i gyd ro'n i,' meddai Arwel. 'Be wyt ti am neud?'

Yn hytrach nag ateb, symudodd Gwenno gan igam-ogamu rhwng y tri rhwystr metel wrth geg y llwybr. Dilynodd Arwel hi, yna gafaelodd yn ei braich i'w hatal rhag cerdded ymhellach.

'Gwranda,' meddai, 'ma'n siŵr dy fod di ddim am ddŵad i'r stesion efo fi?'

Ochneidiodd Gwenno. 'Dw i newydd ddeud 'mod i am fynd yn syth adra. Dw i'n hwyr fel ma' hi—a dw i wedi ca'l digon o has'l yn barod heddiw, heb ga'l mwy gan Mam.'

Gwelodd Arwel ei bod yn dal i osgoi edrych arno'n llawn. Dechreuodd y glaw syrthio'n drymach, a chreu sŵn fel bysedd yn curo'n ddiamynedd ar do'r ymbarél.

''Sgen ti ots os do i efo chdi cyn bellad â siop Smith's, 'ta?' gofynnodd iddi. 'Dw i ddim am sefyllian ar 'y mhen fy hun am dros hannar awr ar y stesion 'cw.'

'Yli, Arwel, ma' *raid* i mi fynd adra . . . '

'Wn i, wn i. Dw i'm yn disgwyl i chdi ddŵad i mewn i'r siop efo fi, yn nac dw.'

Cychwynasant ailgerdded. Teimlodd Arwel yn gas tuag ato'i hun am fwy neu lai ofyn caniatâd Gwenno i gydgerdded â hi. Roedd yn wir edifar ganddo'n awr nad oedd wedi mynd adref ar y bws. Buasai wedi hen gyrraedd Cricieth erbyn hyn yn hytrach nag ymlwybro i fyny Stryd Fawr Port yng nghwmni hogan oedd yn mynnu'i drin fel lwmpyn o faw ci, a'r glaw wedi hen droi'i wallt yn gap brown rhydlyd, gwlyb. Gwyddai na châi fawr o groeso petai'n gofyn am gael dychwelyd dan gysgod bychan yr ymbarél.

Mae hwn fath â rhyw blydi ci bach ar f'ôl i drwy'r amser! meddyliodd Gwenno. Pam na wnei di ddim deud wrtho fo, 'ta? sibrydodd rhyw lais bach wrthi. Bydd yn onast efo'r hogyn: mae ganddo bob hawl i gael gwbod.

Sut yn y byd mae'n bosib imi brofi cymaint o wahanol emosiynau ar yr un pryd? holodd Gwenno'i hun. 'Sgen i ddim tamaid o amynedd efo Arwel druan; dw i bron yn ei gasáu am fod yma, ac yn fy nghasáu'n hun am fod mor gas wrtho. ond fedra i mo'r help! Mae o'n gwneud ei orau glas i helpu, yn ei ffordd ddiniwed ei hun, ond mae'r union ddiniweidrwydd hwnnw'n gwneud i mi'i gasáu o . . . a theimlo drosto fo'r un pryd. *Deud wrtho fo hogan, deud wrtho fo!*

''Dan ni byth wedi bod yn gweld hwn chwaith, yn naddo?' clywodd Arwel yn gofyn.

Trodd Gwenno i'w wynebu.

'Be?'

Roeddynt wedi cyrraedd y tu allan i sinema'r Coliseum, ac amneidiodd Arwel ei ben at boster yn hysbysebu'r ffilm *Ghost*.

'Y chdi ddudodd fod gen ti awydd 'i weld o. Beth am inni fynd nos Sadwrn?'

Cerddodd Gwenno'n ei blaen heb aros i ddarllen y poster. 'Dw i ddim yn meddwl.'

'Mae o i fod yn un da. Waeth inni fynd, ddim. Be arall sy 'na i' neud yn y Port 'ma ar nos Sadwrn, beth bynnag? Yn enwedig os bydd hi'n stido bwrw fel hyn.'

'O, dwn i'm eto, Arwel. Ga i weld.'

'Be—'sgen ti rwbath arall ar y gweill, felly?'

'Dw i ddim wedi meddwl mor bell ymlaen â hynny eto.'

'Dydi hi ddim fel 'tasa gynnon ni ddigon o ddewis be i'w neud. O leia ma' 'na bictiwrs yn Port. Does 'na ddim byd yng Nghriciath . . . '

'Iesu—wnei di beidio â swnian arna i!'

Rhythodd Arwel arni mewn braw. Roedd Gwenno wedi troi arno fel petai ar fin ei daro. Roeddynt yn sefyll y tu allan i siop pethau da, a throdd mam a dau o blant ifainc i edrych arno'n chwilfrydig.

'O.K. O.K.—'mond gofyn wnes i. Wna i ddim eto.'

'Yli, Arwel . . . .' *Deud wrtho fo, hogan! Rŵan! Dyma dy gyfle di! Deud!* 'Yli—dw i ddim isio dŵad allan nos Sadwrn.'

'Efo fi, 'ti'n feddwl?' gofynnodd Arwel yn dawel.

Nodiodd Gwenno. 'Dw i'm isio mynd allan efo neb— ddim jest y chdi. Rwyt ti yn dallt, yn dwyt?'

Am y tro cyntaf oddi ar ni wyddai Arwel pa bryd, edrychodd Gwenno arno'n llawn. Ceisiodd yntau weld trwy'i llygaid ac i mewn i'w phen. Roedd myrdd o gwestiynau'n ymwthio i'w gilydd yn flêr yn ei feddwl, nes i'r cyfan syrthio'n bendramwnwgl i du ôl ei wddf a methu'n glir â chyrraedd blaen ei dafod.

'Sori, ond . . . ' Cododd Gwenno'i hysgwyddau. 'Ma'n well inni orffan rŵan, 'sti. Cyn inni ffraeo.'

'Ond doedd gen i'r un bwriad o ffraeo!' ebychodd Arwel. 'Dw i ddim isio gorffan, Gwen.'

'A dw inna ddim isio cario mlaen! Felly, does 'na ddim pwynt, yn nac oes?'

'Ond pam? Be dw i wedi'i neud?' Edrychodd Arwel o'i amgylch. Er bod pawb yn brysio heibio, teimlai fod yr holl Stryd Fawr wedi aros i wrando arno ef a Gwenno. 'Pam wyt ti isio gorffen os 'dan ni ddim wedi ffraeo?'

'O'r nefi!' Dyheai Gwenno am gael gweiddi rhegi dros y dref. 'Paid â gneud petha'n fwy anodd nag ydan nhw.'

'Ffansïo rhywun arall wyt ti? Pwy ydi o?'

'Naci—dw i jest wedi ca'l . . . '

'Llond bol?'

Am un eiliad wallgof, teimlodd Gwenno fel chwerthin yn hysterig. Edrychai Arwel fel petai ar fin beichio wylo . . . ond o'r holl bethau i'w dweud . . .

'Yli—dw i jest ddim isio mynd allan efo chdi eto. Sori os dw i wedi dy frifo di. . . '

'Wyt, o ddiawl!'

Diflannodd yr awydd gwyllt i chwerthin mor sydyn ag y daeth. Trodd oddi wrtho.

'Dw i wedi deud wrthat ti rŵan, fedra i ddim gneud dim mwy. Wela i di.'

'Gwenno . . . '

Ond roedd Gwenno wedi cychwyn cerdded i ffwrdd. Syllodd Arwel ar ei hôl, yna trodd yntau. Oedodd yn y fan am eiliad, cyn dychwelyd i gyfeiriad yr orsaf. Roedd pori ymysg y llyfrau yn siop W.H.Smith wedi colli'i apêl.

Synnodd Gwenno at y dagrau oedd yn cronni yng nghorneli'i llygaid. Dylai deimlo rhyddhad ar adegau fel hyn.

Dim ond un broblem fach ydi Arwel, 'de Gwenno? sibrydodd y llais sbeitlyd. 'Mond megis dechrau rwyt ti, 'nghariad i.

Trodd yn sydyn wrth siop fawr y Co-op. Gwelodd ben browngoch Arwel—ei ben cyfarwydd a chyfforddus— yn symud dow-dow tua'r orsaf, ac am ennyd chwim bu o fewn trwch blewyn i redeg ar ei ôl. Hedfanai gwylan dros y stryd gan gwyno'n uchel groch am y tywydd. I Gwenno, swniai'i sgrech yn union fel cri baban.

Pennod 2
MICI

Nid oedd Mici Jones wedi gweld y tu mewn i'r un capel ers pan oedd yn fachgen bychan, wynepgrwn a choes-noeth. Yn wir, wfftio at grefydd a wnâi gan amlaf, ond heno roedd yn teimlo fel mynd i lawr ar ei liniau a sgrechian i fyny i'r nefoedd: 'Pam fi?'

Arferai Mici gael y tŷ iddo'i hun bob nos Fawrth. Âi Bet, ei fam, i'r Bingo ym Mlaenau Ffestiniog; Len, ei Dad, i slochian efo'r 'hen hogia' yng Nghlwb y Legion; a Carol, chwaer fawr Mici, i weld Sharon, ei ffrind, gan fynd â Kelvin, ei babi, gyda hi. Roedd Mici wedi gwrthod yn lân â gwarchod Kelvin iddi, er lles y baban, oherwydd credai'n ddiweddar fod yr hen Herod Fawr yn o agos i'w le wedi'r cwbl. Na, roedd pob nos Fawrth yn sanctaidd i Mici, ac edrychai ymlaen bob wythnos at gael diogi mewn bàth poeth cyn gwylio fideo neu ddau heb neb i swnian a hefru arno.

Amser te, fodd bynnag, aeth pethau'n flêr. Roedd sawl drwg yn y caws. Daeth Bet adref o'i gwaith yn Kwik Save gyda chlamp o gur yn ei phen; ni fedrai feddwl am fynd i chwarae Bingo, meddai, a'r unig beth roedd arni eisiau y noson honno oedd heddwch i orwedd yn ei gwely. Ac roedd hynny'n iawn, gan Mici; o leiaf fyddai hi ddim o dan draed tra byddai ef yn trio sbio ar y fideo. Hir oes i'r cur pen.

'Lle ma' Dad?' holodd. 'Mae o wedi mynd i'r Legion yn fuan iawn heno, yn dydi?'

'Be haru ti?' ochneidiodd Bet. 'Dydi'r sglyfath ddim wedi dŵad adra o'r blydi lle eto.'

'Gyda lwc, mi gadwan nhw fo yno, fath â mascot,' meddai Mici, ond ddeng munud yn ddiweddarach fe gyrhaeddodd Len, yn chwil ulw gaib. Aeth ar ei union i addoli powlen y tŷ bach, cyn siglo'n ei ôl i'r parlwr cefn a'i dywallt ei hun i mewn i'w gadair o flaen y teledu, yn amlwg wedi nythu yno am y noson. I goroni'r cyfan, ffoniodd Sharon i ddweud bod ei gŵr wedi gwahodd criw o'i ffrindiau draw i wylio fideo go amheus, a thybed a oedd ots gan Carol petai hi, Sharon, yn dod draw at Carol am unwaith? Dim ots o gwbl, atebodd Carol, gan anwybyddu rhegfeydd lloerig ei brawd yn llwyr.

Dyna'i diwedd hi, meddyliodd Mici. Yn hytrach na dihangfa braf a heddychlon, roedd y tŷ'n prysur droi'n fath ar Dŵr Babel—ond bod hwnnw, mae'n debyg, yn fwy preifat. Ffrwydrodd, gan wneud cur pen Bet ganwaith gwaeth, cyn rhuthro o'r tŷ mewn tymer ddychrynllyd a gadael ei de ar ei hanner.

Roedd hynny ddwy awr yn ôl. Yn awr, eisteddai Mici Jones mewn cysgodfa bws wrth ymyl y Parc yn smygu un o'i sigaréts Marlboro a oedd bellach bron iawn mor brin â'i enillion. Dros y ffordd o'r Parc ym Mhorthmadog gwelai ddwy dafarn, sef y Llong a'r Castell, a'r Awstralia, a winciai eu goleuadau ar Mici fel dwy butain ddrud. Ni fedrai fforddio mynd i mewn i'r un ohonynt, hyd yn oed ond am hanner bach sydyn; roedd ganddo ond digon o arian i brynu pryd yn yr Happy Chop Suey House yn lle'r te a adawsai i oeri ar y bwrdd.

Roedd wedi hen ddisbyddu ei stôr rhegfeydd—geirfa hynod eang dan unrhyw amgylchiadau—ar y glaw diben-draw a syrthiodd ers dros wythnos, ac a wnâi ei orau glas bellach i droi'n niwl. Edrychai fel cynfas solet ym mhelydrau'r lampau oren a oleuai'r Stryd Fawr. Roedd hi'n hen noson fudr, flêr—gwahanol iawn i dywyllwch twt y gaeaf.

Daeth sŵn chwerthin uchel o'r Llong a'r Castell, a gwgodd Mici i gyfeiriad y dafarn â chenfigen pur. Gallai

weld cefnau'r yfwyr yn ffrâm felen a chlyd y ffenestr—
yfwyr hapus a llon yn ôl eu sŵn, eu cyrff yn gynnes a
llawn a'u dillad, fwy na thebyg, yn sych.

Nid fel corff a dillad Mici Jones.

Gwisgai hen gôt ddu, laes dros siaced ddenim las; ni
fedrai gau'r gôt oherwydd i'r botymau hen ddiflannu. O
dan y siaced ddenim gwisgai grys melfaréd, hwnnw
wedyn yn agored bron iawn i'w waelod, ac o dan y crys
gwisgai grys-T a llun o'i arwr, Bruce Springsteen,
arno.

Roedd Mici'n berchennog balch ar dros ugain o
grysau-T Bruce Springsteen. Arian y dôl oedd wedi talu
am y mwyafrif ohonynt, ond roedd Mici'n fodlon
aberthu rhai o bleserau eraill bywyd er mwyn chwyddo'i
gasgliad. Gwisgai yn null y Bòs cyn belled ag y medrai;
heno, roedd ganddo bar o jîns glas, tynion am ei goesau a
botasau duon roc-a-rôl am ei draed. Hon oedd gwisg
arferol Mici Jones, a gwisgai hi—gwlyb ai peidio—mor
falch ag y gwisgai unrhyw filwr ei lifrai gorau un.

Gorffennodd ei sigarét a thaflu'r stwmpen i'r stryd.
Cliriodd ei wddf a phoerodd; arhosodd y fflemsen i
herio'r glaw fel malwoden werdd ar y palmant. Waeth
iddo yntau fod allan efo hi ddim, yn wlyb socian fel
roedd o. Roedd ei wallt yn dywyll a thrwchus, ychydig
yn gyrliog pan fyddai'n sych, wedi'i dorri'n weddol agos
at steil Bruce Springsteen. Ond heno, gorweddai pob
blewyn yn fflat ar ei gorun gan hongian yn gudynnau
gwlybion dros gefn ei goler, gan lafoerio'n oer i lawr
ei wddf.

Tynnodd lewys ei gôt yn ôl i weld wyneb ei oriawr.
Hanner awr wedi wyth. Braidd yn gynnar oedd hi,
efallai, i fynd adref yn ei ôl, yn enwedig ar ôl ei
ymadawiad dramatig yn gynharach. Ond pa ddewis arall
oedd ganddo, heblaw eistedd yma fel llo gwlyb yn
gwrando ar bobl eraill yn mwynhau eu hunain yn y
tafarndai? Ochneidiodd. Doedd ond isio i ryw hen gi

bach ddŵad heibio a phiso'n erbyn ei goes i orffen y pic-
tiwr pathetig yma. Blydi teuluoedd! Pwy oedd eu
hisio nhw?

Cododd a chychwynnodd i lawr y Stryd Fawr i
gyfeiriad yr Happy Chop Suey House, a geiriau 'Dancing
in the dark' yn rhedeg trwy'i feddwl:

You sit around getting older,
There's a joke here somewhere and it's on me.

* * * * * *

Er nad oedd y Noson Rieni wedi'i wneud yn siriol o
gwbl, roedd Ieuan Lloyd yn cael trafferth i beidio â
gwenu bob tro yr edrychai ar y plwc nerfus yng nghlawr
llygad yr athro Cymraeg. Ceisiodd ddwrdio'i hun am
wneud peth mor sbeitlyd, ond pob chwarae teg iddo,
llys-enw'r athro—sef 'Kodak'—oedd yn peri'r doniolwch
iddo. Roedd yn enw mor addas rywsut.

I wneud y peth yn waeth, roedd yr athro gymaint o
ddifri, ac wrth iddo gynhyrfu, fe gyflymai'r plwc.
Gobeithiai Ieuan nad oedd Eilir Huws yn yfwr, er ei les
ei hun; peryg iawn i rai o gwsmeriaid eraill y dafarn
feddwl mai wincian arnyn nhw'r oedd ef. Gwnaeth
Ieuan ymdrech fawr i ganolbwyntio ar eiriau'r athro, yn
hytrach nag ar ei lygad. Wedi'r cwbl, trafod Gwenno
roedden nhw. Nid oedd Glenda Lloyd wedi dod yn agos at
wenu oddi ar iddi gychwyn siarad â'r gwahanol athrawon,
ond roedd ei gŵr wedi cael digon ers meitin. Yr un cwyn-
ion oedd gan bawb am Gwenno. 'Y peth ydi, Mrs Lloyd,'
meddai Eilir Huws, 'dydi o ddim fel 'tasa Gwenno'n
methu gneud y gwaith. 'Dan ni i gyd yn gwbod fod 'na
ddigon yn 'i phen hi—ma' hi wedi hen brofi hynny ers
tro. Dydi hi ddim yn trio, ddim yn trio o gwbwl.'
Edrychodd yr athro ar Ieuan am eiliad cyn dychwelyd at
Glenda. 'Ac nid yn unig yn 'i gwersi Cymraeg, yn ôl fel
dw i'n dallt,' ychwanegodd.

Troes Glenda gydag ochenaid i edrych ar ei gŵr, a chododd yntau'i ysgwyddau gan sugno'i dafod. Teimlai Eilir Huws drostynt. Nid oedd wedi edrych ymlaen at weld rhieni Gwenno Lloyd heno, er ei bod yn rhaid iddo gael gair â nhw. Roedd gwaith yr hogan wedi dirywio mor ddychrynllyd yn ddiweddar—bron cymaint â'i hagwedd tuag at ei hathrawon.

'Dyna ma'i hathrawon i gyd yn ddeud,' meddai Glenda, ''dê Ieuan? Ond 'dan ni'n methu dallt. Ma' gynni hi'i llofft 'i hun, ac mae'n diflannu yno'n syth ar ôl 'i the bob dydd—i neud 'i gwaith cartra, medda hi.'

'Ma'n amlwg 'i bod hi ddim *yn* 'i neud o, yn dydi?' meddai Ieuan. 'Chwara'r hen dapia 'na ma' hi, rhaid gen i.'

'Ydi hi'n byhafio'n o lew efo chi, Mr Huws?' gofynnodd Glenda. 'Cwyno amdani ma' pawb wedi gneud, hyd yn hyn.'

'Wel. . . ' Oedodd yr athro am ennyd. 'A bod yn onast, nac ydi. Ma' hi fel petai wedi llyncu mul drwy'r amsar. Ma' hi wedi'i neud o'n ddigon clir mai 'ngwersi i, beth bynnag, ydi'r lle ola ma' hi isio bod.'

'Fel 'na ma' hi adra hefyd, 'dan ni'n ofni,' ochneidiodd Glenda. 'Prin 'dan ni'n 'i gweld hi drwy'r gyda'r nos. Os nad ydi hi allan, ma' hi wedi'i chau'i hun yn 'i llofft. Ac mae'n rhyw hen bigo ar Gwion, 'i brawd bach, fyth a beunydd. Yn dydi, Ieuan?'

Pwysodd Eilir Huws ymlaen dros ei ddesg. 'Be dw i'n deimlo'n hun,' meddai'n bwyllog, 'ydi bod Gwenno fel 'tasa hi wedi dechra cymdeithasu efo criw go ddrwg, a bod y rheini wedi dylanwadu arni. Doedd hi ddim yn arfar bod fel hyn, 'dach chi'n gweld. Roedd hi'r hogan glenia fyw yr adeg yma llynedd. 'Mond yn ddiweddar ma' hi wedi newid.'

Nodio'i ben roedd Ieuan. 'Dyna 'dan ninnau'n deimlo hefyd,' meddai.

Ond roedd Glenda'n anghytuno. ''Dan ni'n gwbod pwy

ydi'i ffrindia hi,' mynnodd wrth yr athro. 'Carys Wyn ydi'i ffrind penna hi—Carys Wyn Owen. 'Dan ni'n nabod Carys—a'i theulu hi—ers blynyddoedd. A 'swn i'm yn meddwl fod Arwel yn dylanwadu'n ddrwg ar neb.'

'Arwel . . . ?'

'Yr hogyn 'na ma' hi'n mynd allan efo fo,' meddai Ieuan. 'O Griciath. Mae o yn fform sics yma, gwallt coch gynno fo.'

'Arwel Elis?' Synnodd yr athro. 'Ydi Gwenno'n canlyn Arwel Elis?' gofynnodd, fel petai newydd glywed fod Lucretia Borgia'n caru hefo Gandhi.

'Na, na—maen nhw'n rhy ifanc i ganlyn, siŵr. 'Mond mynd allan efo'i gilydd ma'n nhw,' eglurodd Ieuan braidd yn ddiamynedd.

'Bobol annwyl! Ond ma' . . . ' Roedd Eilir ar fin dweud bod Arwel Elis yn hogyn parchus, ond sylwedd-olodd na fuasai rhieni Gwenno'n croesawu'r awgrym nad oedd eu merch felly. ''Dach chi'n iawn,' meddai'n lle hynny, 'go brin mai ar Arwel mae'r bai.' Agorodd ei ddwylo'n llydan. 'Dwn i ddim be arall fedra i'i ddeud wrthach chi.'

Cododd Glenda. 'Na, diolch yn fawr ichi, Mr Huws, 'dan ni wedi cymryd hen ddigon o'ch amsar chi. Fedran ni 'mond ymddiheuro dros Gwenno . . . '

Roedd Ieuan hefyd wedi codi o'i gadair. 'Mi geith hi ddŵad atach chi i ymddiheuro'i hun, peth cynta bora fory,' addawodd. 'Ma' hi'n hen bryd i Madam newid 'i ffordd 'swn i'n deud, ar ôl be dw i wedi'i glywad heno 'ma.'

Cododd Eilir i ysgwyd llaw. 'Diolch i chitha am ddŵad i mewn,' meddai. 'Gobeithio'n wir mai 'mond mynd trwy ryw hen gyfnod gwirion ma' Gwenno, 'ndê? Dw i'n siŵr y gwellith petha cyn bo hir.'

'Nos dawch.' Mygodd Ieuan y demtasiwn i wincio'n ôl ar yr athro, oedd â'i lygad yn mynd fel cath i gythraul erbyn hyn, a dilynodd ei wraig o'r ystafell.

Roedd y noson bron â gorffen, a dim ond ychydig o bobl oedd ar ôl yn y cyntedd.

'Wel?' gofynnodd Glenda i'w gŵr.

'Roeddan ni'n gwbod be i' ddisgwyl, yn doeddan?' atebodd Ieuan. 'Mi gawson ni ddigon o rybudd gan y ddynas Prydderch 'na ar y ffordd i mewn.' Gafaelodd ym mraich Glenda. 'Tyrd. Gora po gynta awn ni adra.'

Do, mi gawson ni rybudd, meddyliodd Glenda wrth adael cynhesrwydd yr ysgol. Mae'r rhybudd wedi bod yno inni ers tipyn go lew, Ieuan bach, ond nid y rhybudd rwyt ti'n sôn amdano fo, dw i'n ofni.

* * * * * *

Am ryw reswm, newyddion Cymraeg S4C oedd ymlaen ar y teledu gan Tsieineaid yr Happy Chop Suey House. Be uffarn oedd y rhain yn neud yn sbio ar hwn? gofynnodd Mici iddo'i hun. Fedren nhw ddim siarad Saesneg yn iawn, heb sôn am Gymraeg. Ond roedd y wraig y tu ôl i'r cownter uchel yn syllu ar y sgrin fel y syllodd Moses ar y berth yn llosgi. Prin yr edrychodd ar Mici wrth dynnu llun ei archeb ar ddarn o bapur. Doedd bosib ei bod yn deall Cymraeg . . . ? Penderfynodd Mici arbrofi.

'Ga i droi hwn drosodd i rwbath iawn?'

Edrychodd y wraig yn hurt arno, yna nodiodd gan wenu fel giât pan wnaeth Mici ystum troi'r sianel. Pwysodd fotwm ar y teclyn rheoli, a diflannodd wyneb Dewi Llwyd. Yn ei le daeth wyneb ysgythrog yr actor Mark McManus fel y plismon Albanaidd, Taggart. Dyna welliant, meddyliodd Mici, er ei fod wedi gweld y bennod honno o'r blaen. Eisteddodd i wylio. Heblaw am *C'mon Midffîld*, ychydig oedd gan S4C i'w gynnig iddo.

Trodd wrth i'r drws agor i weld ei hen athro Daearyddiaeth, Emlyn Edwards, yn dod i mewn efo'i wraig, y ddau wedi'u gwisgo fel petaent ar gychwyn i gynhebrwng. Rhaid bod rhywbeth ymlaen yn yr ysgol, casglodd Mici.

'Y Ffurat' oedd llysenw Emlyn Edwards, enw a weddai iddo i'r dim, diolch i'w wyneb main a'i ben bychan, busneslyd. O'r diwrnod y daeth Mici a'r Ffurat wyneb-yn-wyneb am y tro cyntaf erioed, bu'n rhyfel rhyngddynt. Ymatebai'r ddau i'w gilydd fel mongŵs a chobra. Ni fethai'r Ffurat yr un cyfle i hefru ar Mici yn y gwersi Daearyddiaeth, a gwnâi Mici ati'n ddi-ffael i gamymddwyn.

Caledodd wyneb y Ffurat pan welodd ei hen elyn. 'Meical . . . '

Ddywedodd Mici ddim. Doedd neb wedi'i alw'n 'Meical' oddi ar iddo ymadael â'r ysgol, heblaw am gybyddion y lle dôl. Aeth yr athro a'i wraig i astudio'r fwydlen fawr felen ar y mur, ac wrth iddi fynd heibio iddo llwyddodd Mici i ddal sylw Mrs Ffurat am eiliad. Gadawodd i'w lygaid grwydro'n araf o'i llygaid hi yr holl ffordd i lawr ei chorff. Gwenodd, cystal â deud: Neis iawn, Musys, i ddynas o'ch oed chi. Be ma' peth handi fath â chi'n neud efo rhyw hen bansan fel y Ffurat? Trodd Emlyn Edwards i archebu'r bwyd, ac aeth ei wraig i eistedd wrth y ffenestr. Tynnodd waelod ei sgert i lawr dros ei phengliniau, yn ymwybodol iawn o lygaid y llanc ifanc gyferbyn â hi. Gwenodd hwnnw'n araf a bwriadol wrth weld y gwrid yn tyfu dros wyneb y ddynes druan, oedd bellach yn eistedd â'i llygaid wedi eu hoelio ar y llawr o'i blaen.

Peidiodd acen gref Taggart yn sydyn a daeth lleisiau Cymraeg ffurfiol a phregethwrol o'r set deledu. Tynnodd Mici ei lygaid oddi ar goesau Mrs Ffurat i weld bod ei gŵr wedi troi'r sianel yn ôl i S4C.

'Hei.'

Edrychodd y Ffurat i lawr arno, fel ffurat newydd ddarganfod rhywbeth go annifyr mewn twll cwningen.

'Ro'n i'n sbio ar hwnna.'

'Be . . . ?'

Taggart. Ro'n i'n sbio arno fo.'

'Rhyw hen rwtsh fel 'na . . . ? dechreuodd y Ffurat, ond torrodd Mici ar ei draws.

'Mae o'n lot gwell na'r cachu Cymraeg 'ma.'

'Cach . . . ?!' Yn hytrach na gadael i bethau fod, neidiodd y Ffurat am yr abwyd. *'Blodeuwedd* ydi hon, hogyn. Drama Saunders Lewis. Ac wyt ti'n galw hi'n . . . '

'Cachu ydi cachu'n dê?' meddai Mici.

'Emlyn . . . ' Cychwynnodd Mrs Ffurat rybuddio'i gŵr.

'Ia—gwranda di ar y musys, Emlyn,' cynghorodd Mici ef.

Ond roedd y Ffurat bellach y tu hwnt i wrando ar neb.

'Mr Edwards i chdi, hogyn!' cyfarthodd, gan wthio'i wyneb reit i lawr at un Mici. 'Dydi'r ffaith dy fod di wedi gada'l 'rysgol ddim yn drwydded iti fod yn ddigywilydd wrtha i na neb arall!'

Ymateb Mici Jones i hyn oedd codi boch ei ben-ôl a gollwng gwynt yn uchel.

Ac wedi elwch, tawelwch fu.

Rhythodd y Ffurat ar Mici hefo'i geg yn llydan agored, fel petai'r llanc wedi magu cyrn a chynffon. Yn ogystal ag athro, roedd Emlyn Edwards yn flaenor—gydag un droed yn y nefoedd yn barod, yn ei dyb o'i hun—ac wrth gwrs, dydi blaenoriaid ddim yn gollwng gwynt fel pawb arall. A dyma Mici Jones, rŵan, newydd ollwng clamp o rech, fwy neu lai'n union o dan ei drwyn. Un dda oedd hi hefyd, fel peiriant beic modur yn rhygnu, yn hir ac yn ddofn—clasur yn ei maes.

Roedd wyneb y Ffurat yn goch yn barod. Trodd yn biws, ac yna'n las tywyll, ac yna'n wyn. Disgwyliai Mici weld bwledi o stêm yn saethu allan o'i glustiau unrhyw eiliad.

'*Sore Finger?*'

'Be . . . ?' Trodd y Ffurat yn ffwndrus i weld gwraig yr Happy Chop Suey House yn chwifio pecyn bwyd ger ei fron.

'*Number forty-seven. Sore Finger?*' gofynnodd eilwaith, ond i Mici y tro hwn.

Gwyddai o brofiad nad holi ynghylch cyflwr ei fys oedd y wraig, ond gofyn a oedd arno eisiau halen a finegr. Cododd. '*No, thank you,*' meddai wrthi'n fanesol. Derbyniodd ei becyn bwyd. Diolchodd amdano. Agorodd y drws. Trodd.

'Nos da.'

Aeth allan i wlybaniaeth y nos.

* * * * * *

Gorweddai Gwenno ar ei hochr o dan y dillad gwely, yn hollol effro, er nad oedd y golau wedi'i gynnau yn ei hystafell.

Daeth cerddoriaeth *News At Ten* i fyny drwy'r llawr, yna llais y darllenwr yn gwenynu wrth iddo ddarllen y prif benawdau. Prin hanner awr ynghynt, roedd Gwenno wedi rhuthro i fyny'r grisiau efo llais ei thad yn taranu yn ei phen a dagrau poeth yn ei dallu, ond diflannodd yr awydd i feichio wylo cyn gynted ag y cyrhaeddodd ddiogelwch ei hystafell.

Gwyddai'n iawn pam. Roedd wedi disgwyl y byddai yna le pan ddaeth ei thad a'i mam adref o'r Noson Rieni, a chafodd hi mo'i siomi. Ieuan wnaeth y rhan fwyaf o'r dwrdio: roedd Gwenno'n hulpan o hen hogan wirion, ddiog, na châi'r un swydd werth ei chael ar ôl ymadael â'r ysgol os nad oedd ganddi gymwysterau gwerth chweil; roedd digon ganddi yn ei phen, petai ond yn ei ddefnyddio, a fyddai hi byth yn mynd i'r un brifysgol fel hyn.

'Dw i'm isio mynd,' meddai Gwenno.

'Paid â siarad drwy dy het, hogan! Ei di ddim i nunlla'r dyddia yma os nad wyt ti wedi bod mewn Iwnifyrsiti.'

'Sud 'dach chi'n gwbod? Dydach chi ddim wedi pasio ecsam yn 'ych bywyd.'

Aeth pethau o ddrwg i waeth, hefo Ieuan yn mynd i hwyl go iawn, a Gwenno'n cilio fwyfwy i ryw fudandod surbwch.

Ychydig iawn a ddywedodd Glenda, nes i Ieuan gyhuddo Gwenno o wastraffu'i hamser yn poitsio efo'r llinyn trôns 'na yn lle canolbwyntio ar ei gwaith ysgol.

'Ond dw i wedi gorffan efo Arwel,' meddai.

Edrychodd Glenda arni'n siarp. 'Be?'

''Dan ni wedi gorffan ers wsnos.'

'Pam? Pam wnest ti orffan efo fo?'

'Ro'n i'n *bored* efo fo.'

'Efo pwy wyt ti'n mynd allan rŵan, 'ta?'

'Neb . . . '

'Wyt ti'n siŵr?'

'Yndw . . . '

'Gwenno!'

'Yndw—onest. Dylwn i wbod os dw i'n mynd allan efo rhywun, yn dylwn?'

'Ddigwyddodd hyn yn sydyn ar y naw, yn do? Wyt ti'n siŵr nad Arwel ddaru orffan efo chdi, am ryw reswm?'

'Naci.'

'Pam wnest ti ddim deud wrthan ni?'

'Ddaru chi ddim gofyn, yn naddo?'

Yna torrodd Ieuan ar eu traws, ond doedd Gwenno ddim wedi hoffi'r ffordd y bu ei mam yn edrych arni. Ychydig iawn wrandawodd hi ar ei thad. Roedd ei gwaith ysgol yn golygu cyn lleied iddi'n ddiweddar, ac roedd croesholi brathog ei mam wedi'i chynhyrfu. Dagrau o syrffed oedd y rhai a'i danfonodd yn wyllt i'w gwely; ciliasant cyn gynted ag y caeodd ddrws ei hystafell.

Clywodd sŵn y teledu'n chwyddo am eiliad wrth i rywun agor a chau drws yr ystafell fyw. Daeth cerddediad cyfarwydd ei mam i fyny'r grisiau, a chaeodd Gwenno'i llygaid gan ffugio cwsg.

Agorodd Glenda ddrws y stafell, a sefyll yno'n syllu ar ei merch. Yn y golau o'r landing, gwelai Gwenno'n gor-wedd yn hollol lonydd, heblaw am rythm ysgafn ei hysgwyddau wrth iddi anadlu, ei gwallt du'n cuddio'r rhan fwyaf o'i hwyneb.

'Gwenno . . . ?' sibrydodd Glenda.

Dim ateb. Ochneidiodd Glenda. Roedd pawb wedi sylwi mor dlws oedd ei phlant, a than yn ddiweddar bu'n ymfalchïo yn hynny. Wyt, mi rwyt ti'n dlws, Gwenno, meddyliodd; yn rhy dlws, mae gen i ofn.

Yna troes, ac aeth allan gan gau'r drws ar ei hôl yn dawel.

Gwrthododd Gwenno ymlacio nes iddi glywed drws yr ystafell fyw'n agor a chau unwaith eto. Yna dychwelodd y dagrau, dagrau o ryddhad—nad oedd y cwestiwn mawr wedi ei ofyn—yn gymysg â siom. Tcimlai fod ei mam wedi estyn ei llaw ati dros fwlch enfawr, ond ei bod hi, Gwenno, wedi methu â'i derbyn unwaith yn rhagor.

* * * * * *

'Be wyt ti'n fyta?' holodd Sharon.

'*Beef, green pepper, black bean sauce and chips,*' atebodd Mici â'i geg yn llawn.

''Ti'n siŵr mai bîff ydi o, a ddim ci?'

'Cyn bellad 'i fod o ddim yn dal i gyfarth, dydi'n ddiawl o bwys gen i.'

'Tyrd â tshipsan imi.'

Cymerodd Sharon sglodyn a throdd ei blaen yn y saws du cyn ei rhoi yn ei cheg.

'Mmmmm—neis!'

'Ma'n dda iawn gen i glywad. Ga i lonydd i fyta'n swpar rŵan?'

'Paid â bod mor flin, washi.'

Eisteddodd Sharon gyferbyn ag ef wrth fwrdd y gegin a thanio sigarét. Clywid sŵn Kelvin yn bloeddio o'r ystafell ganol.

'Wyddost ti fod dy dad yn dal i chwyrnu cysgu drwy'r holl sŵn yma?' meddai Sharon. 'Ma' babis yn iawn nes iddyn nhw agor 'u cega.'

'Diolcha fod dim rhaid i chdi fyw efo un.'

'O, mi ydw i'n byw efo un, Mici. Ne felly ma' hi'n teimlo weithia efo'r Malcolm 'cw. Y fo a'i fêts. Ddeudodd Carol wrthat ti be sy'n digwydd acw heno 'ma?'

'Sbio ar ffilm porno ma'n nhw, ia?'

'Ia—y moch! A' i ddim ar gyfyl y tŷ 'cw nes bydd pob un wan jac o'r pyrfyrts wedi hercian adra.'

Petai ef yn briod â Sharon ni fyddai angen ffilmiau felly arno, meddyliodd Mici. Roedd ganddi wallt brown hir hyd at waelod ei chefn a gwisgai bâr o jîns glas golau tynion gyda siwmper ddu, lac. Roedd Mici wedi hen sylwi, wrth gwrs, nad oedd yn gwisgo bra. Rhyfeddodd gymaint yr oedd pobl yn newid. Dair blynedd yn ôl, dim ond hen hogan wirion oedd yn mynd ar ei nerfau—fel pob un o ffrindiau Carol—oedd Sharon. Yn awr, teimlai'n llawn cenfigen tuag at Malcolm Parry. Beth oedd ar y llwdwn, yn gwylio ffilmiau budron a chanddo wraig fel Sharon?

Daeth Carol i mewn i'r gegin ar flaenau'i thraed. 'Y tro nesa ddeffri di Kelvin, Mici Jones, mi gei di'i fwytho fo nes y bydd o'n cysgu.'

'No chance!'

'Wyt ti wedi deijestio'r mul 'na lyncist ti amsar te?'

'O, ia—ro'n i'n clywad ein bod ni wedi bygro dy noson di heno 'ma, Mici,' meddai Sharon. 'Be oedd—isio dŵad â rhyw hogan fach i mewn yma oeddat ti?'

'Hwn? Basa 'na'r un hogan gall yn sbio ar hwn, siŵr,'

pryfociodd Carol. 'Panad, Shaz?'

'Mmmm. Plîs.'

'Mi fasat ti'n synnu,' meddai Mici wrth ei chwaer.

'Arglwydd, baswn. Tyrd â'r plât 'na yma os wyt ti wedi gorffan, imi ga'l 'i roid o'n y sinc efo'r lleill.'

'Pwy sy gen ti felly, Mici?' holodd Sharon. 'Rhywun 'dan ni'n 'i nabod?'

''Sgynno fo neb, siŵr.'

'Sud wyt ti'n gwbod?' gofynnodd Mici. 'Ella 'mod i'n ca'l *affairs* efo hannar merchad y Port.'

'Duw â'u helpo nhw, ddeuda i.'

'Mi ges i un yn nisgo dwytha'r Queens, 'mond i chdi ga'l gwbod.'

'Do? Lle ma' hi gen ti heno 'ma, 'ta?'

'Ia, wel.' Cododd Mici. 'Dw i'm isio clymu'n hun lawr i neb, yn nag oes? Dw i'n mynd am fàth.'

Gadawodd y ddwy eneth yn chwerthin yn y gegin. Aeth yn ddistaw bach i fyny'r grisiau gan feddwl; os na châi sbio ar fideos yna o leiaf fe gâi fàth mewn heddwch. Agorodd ddrws yr ystafell folchi.

Eiliadau yn ddiweddarach roedd yn ei ôl yn y gegin.

'O, ia, anghofis i ddeud wrthat ti,' meddai Carol. 'Fydda i ddim yn gallu fforddio prynu napis *disposable* i Kelvin tan i mi ga'l 'y mhres dôl ddydd Iau. Felly os wyt ti isio bàth, mi fydd raid iti dynnu'r napis budron allan yn gynta.'

Pennod 3
BABIS A PHLANT

Ni wyddai Gwenno ai'r arogl ffrio a'i deffrôdd ai peidio, ond yn sicr roedd yn ddigon i'w chodi o'i gwely. Taflodd ei gŵn nos yn frysiog dros ei choban a gwibiodd i'r ystafell folchi. Clodd y drws a syrthiodd ar ei gliniau o flaen y toiled, gan ofalu nad oedd ei gwallt yn hongian i mewn i'r bowlen, cyn gadael i'r cyfog poenus lifo.

O'r gegin, clywodd Ieuan glep drws y stafell folchi. 'Be welodd Gwenno i godi mor gynnar ar fora Sadwrn?' meddai.

'Dwn i'm,' atebodd Glenda, er bod ganddi syniad go dda. Oddi ar y Noson Rieni drychinebus honno, bu'r amheuon yn cenhedlu y tu mewn iddi gan gryfhau i'r fath raddau nes eu bod bellach yn wirioneddau bron.

Trodd fara saim ei gŵr yn y badell yn feddylgar, gan glustfeinio'n astud, ond roedd hisian y saim ac ochneidio'r tegell yn boddi unrhyw sŵn a fyddai'n debygol o'i chyrraedd o'r ystafell folchi.

Nid oedd eto wedi lleisio'i hofnau wrth Ieuan. Roedd yntau wedi hen synhwyro bod rhywbeth yn poeni'i wraig yn o arw, ond roedd wedi bodloni ar yr ateb cyfleus: 'problemau merched'. Gwyddai Glenda y dylai fod wedi siarad hefo Ieuan, ond roedd rhywbeth yn ei dal yn ôl bob tro. Wedi'r cwbl, nid oedd hyd yma wedi cael cyfle i siarad yn iawn efo Gwenno.

O'r ardd gefn deuai sŵn Gwion, ei mab naw mlwydd oed, yn cicio pêl drosodd a throsodd yn erbyn wal.

'Wyt ti am fynd â Gwion i lawr i'r Traeth pnawn 'ma?' gofynnodd Glenda wrth osod brecwast Ieuan o'i flaen, gan gyfeirio at gae tîm pêl-droed Port.

Ysgydwodd Ieuan y botel sôs coch. 'Gyda lwc. Siawns na fydda i wedi gorffan y Cavalier 'na erbyn amsar cinio. Pam—'sgen ti ffansi dŵad?'

'Ha!' Eisteddodd Glenda i sipian ei the, tra dechreuodd Ieuan gladdu'i frecwast. Fel arfer ar fore Sadwrn, byddai Ieuan yn hwylio'i frecwast ei hun cyn cychwyn am y garej, gan adael i'w wraig orweddian ychydig yn y gwely, ond heddiw—fel bob bore'n ddiweddar—roedd Glenda'n effro ers cyn dydd, wedi noson gyfan o droi a throsi'n annifyr. Roedd yn well o lawer ganddi godi i wneud rhywbeth yn hytrach na gorwedd yn hel meddyliau.

'Pryd ma'r gêm yn dechra?' gofynnodd.

'Tua'r tri 'ma, dw i'n meddwl,' atebodd Ieuan. Trochodd hanner ei fara saim mewn cymysgfa anghynnes yr olwg o felynwy a sôs coch, cyn ei adael yn dwt ar ochr ei blât i'w fwyta fel uchafbwynt i'r pryd.

Nodiodd Glenda'i phen yn araf. Ni fyddai Ieuan na Gwion gartref cyn pump. Dyna hen ddigon o amser iddi hi a Gwenno gael sgwrs iawn. Os byddai Gwenno ar gael, wrth gwrs. Roedd ei merch fel petai wedi synhwyro bod Glenda'n ysu am ei chael ar ei phen ei hun yn ddiweddar, a byddai ond yn ymddangos pan fyddai Ieuan a Gwion o gwmpas. Brifwyd Glenda gan hyn. Pan oedd hi'n un ar bymtheg oed, fe greodd hithau fwlch rhyngddi hi a'i rhieni, ond roedd hynny yng nghanol y chwedegau: rhyw gyfnod felly'r oedd hi, oes aur ieuenctid, yn ôl holl edrych 'nôl hiraethus yr wythdegau. Ond rhyw fwlch diniwed rywsut oedd y bwlch rhwng Glenda a'i rhieni hi. Yn awr, a hithau'n fam ei hun, cafodd flas ar sut roedd ei mam hi wedi teimlo, er nad oedd Glenda wedi cau ei mam o'i bywyd i'r fath raddau ag y teimlai fod Gwenno wedi'i chau hithau.

Pan safodd yn nrws Gwenno'r noson o'r blaen yn syllu arni'n cysgu, ysai am gael gafael ynddi a'i gwasgu i'w bron a'i sicrhau bod popeth yn iawn, na fyddai'n dwrdio nac edliw na ffraeo na dim. *Dw i yma, Gwenno fach, dim ots be,* gwaeddodd ei meddwl. *Dw i 'mond isio i chdi ddŵad yn ôl ata i.*

Ond pan gaeodd ddrws y stafell teimlai fod y bwlch wedi lledaenu gan troedfedd arall.

Daeth Gwion i mewn i'r gegin, ei wyneb yn goch ar ôl cicio'r bêl a rhedeg i fyny ac i lawr yr ardd ar ei hôl. Edrychodd yn syth ar Glenda.

''Dach chi wedi gofyn iddo fo, Mam?'

Cymerodd Ieuan arno nad oedd yn deall.

'Gofyn be, 'rhen ddyn? Be bynnag ydi o, rhaid iddo fo witshiad tan amsar te. Ma'r hen Gavalier 'na'n joban go fawr—mi gym'rith hi trwy'r dydd i mi.'

'Ond . . . ' Edrychodd Gwion mewn braw ar ei fam. Taflodd Glenda winc arno.

'Ia, dipyn o hen joban,' aeth Ieuan ymlaen efo'i bryfocio. 'Go brin y gwela i 'ngwely cyn hannar nos. Ac ma'r boi bia'r car yn foi go gas, hefyd. Ddudodd o 'sa fo'n fy saethu i os na fydd 'i gar o'n barod iddo fo.'

Rhowliodd Gwion ei lygaid cyn ymuno yn y gêm. 'Pwy oedd o, Dad?' gofynnodd. 'Jaws o'r ffilms James Bond, ia?'

'Naci, wir—wsnos dwytha fuodd hwnnw acw,' meddai Ieuan yn ddifrifol. 'Gweinidog ydi'r boi yma—ond 'i fod o'n gweithio i'r Maffia pan nad ydi o wrthi'n pregethu. Rhaid iddo fo ga'l 'i gar erbyn fory, medda fo. Mae o isio piciad i saethu Prins Andrew a Fergie ar ôl capal bora fory.' Cododd o'r bwrdd, gan rwbio gwallt Gwion. 'Ond mi ddudis i wrtho fo, ''Gwranda,'' medda fi, ''ma' Gwion isio mynd i weld Port yn chwara ffwtbol pnawn dydd Sadwrn, felly dyna ben arni hi. Os wyt ti isio cega, dos i weld Gwion. Mi wneith o dy roi di'n dy le.'' Be 'ti'n ddeud, 'rhen ddyn? 'Ti'n meddwl y medri di'i setlo fo?'

Erbyn hyn, roedd Gwion yn ei ddyblau'n chwerthin;

roedd gan Ieuan y ddawn o ddweud y pethau mwyaf gwallgof gan gadw'i wyneb yn hollol syth a difrifol.

'Callia, ddyn,' gwenodd Glenda. 'Ma'r ddau ohonach chi mor hurt â'ch gilydd. Well i chdi'i siapio hi am y garej 'na. Mi fydda *i*'n dy saethu di os na fyddi di'n gallu mynd â'r hogyn 'ma i'r Traeth.'

Diolchodd Glenda am ambell bwl o hwyl. Wedi i Ieuan fynd eisteddodd Gwion efo hi wrth y bwrdd yn darllen comic, yn hapus a bodlon yn ei chwmni. Roedd hi ond fel ddoe ers i Gwenno fod 'run fath, yn ymuno yn y tynnu coes a'r chwerthin, ond roedd y Gwenno honno bellach wedi mynd i rywle.

Cododd Glenda i gychwyn golchi'r llestri. Gwyddai y byddai'r sgwrs efo Gwenno'r prynhawn hwnnw'n llwyddo i wneud un o ddau beth: dileu'r bwlch rhyngddi hi a'i merch, unwaith ac am byth, neu ei ledaenu i'r fath raddau na fyddai modd i'r un o'r ddwy ddringo'n ôl drosto.

* * * * * *

Ychydig iawn o gwsg a gafodd Mici Jones y noson honno hefyd, ond am resymau gwahanol i rai Glenda Lloyd. Deffrôdd Kelvin ar doriad gwawr ac fel ceiliog penderfynodd ei bod yn ddyletswydd arno i ddihuno pawb arall yn y tŷ. Pan roes Mici'r ffidil yn y to ynglŷn â chysgu rhagor am wyth o'r gloch, roedd yn barod i foddi'i nai ifanc yn nyfroedd rhydlyd y Cyt.

''Mond babi ydi o,' atgoffodd Carol ef yn aml. Gwyddai Mici hynny'n iawn: onid oedd yn boenus o amlwg? 'Un swnllyd fuost titha hefyd, Mici Jones,' meddai Carol, 'yn crio a nadu drwy'r amser. Mi fuodd jest iawn i Mam dy ada'l di ar garrag drws rhywun sawl tro.'

Ni fedrai Mici gredu bod unrhyw fabi mwy swnllyd na Kelvin yn bodoli, yn enwedig pan fyddai'i sgrechfeydd yn treiddio i mewn i'w holl nerfau yn y bore bach. Ar adegau felly deuai Mici o fewn trwch blewyn i gael ei argyhoeddi mai un o ellyllon y fall oedd cannwyll llygad Carol, wedi'i ddanfon i'r ddaear yn arbennig i arteithio'i ewythr.

Meddyliai Mici'n aml am ffilm fideo a welodd unwaith, un o glasuron y sinema fodern o'r enw *It Lives Again*, am fabi oedd yn berchen ar lond ceg o ddannedd mawrion, miniog. Yn feunyddiol tyfai Kelvin yn debycach i'r babi hwnnw. Yr unig beth oedd ar goll oedd y dannedd, ond yn ôl Carol genedigaeth y rheini oedd yn achosi'r holl weiddi'n y lle cyntaf.

'Fedri di ddim rhoi rhwbath yn 'i ffid o i gau'i geg o am dipyn?' holodd Mici amser cinio. 'Roedd merchad yn gneud hynny erstalwm, 'sti, pan oeddan nhw isio mynd i weithio yn y ffactris a'r pylla glo. Roeddan nhw'n rhoi jin yn llefrith y babis i neud yn siŵr 'u bod nhw'n cysgu drwy'r dydd.'

'Paid â bod yn stiwpid!' gwgodd Carol arno. Roedd wrthi'n newid clwt Kelvin ar lawr y gegin, hwnnw'n rhuo efo'r amarch o orfod gorwedd ar ei gefn efo'i draed a'i ben-ôl i fyny yn yr awyr. 'Wyt ti isio iddo fo dyfu i fyny'n alci?'

'Fath â'i daid, 'ti'n feddwl?'

'Mici!'

'Wel! Ma'r ddau ohonyn nhw'n ddigon tebyg yn barod, yn dydyn? Y ddau wastad ar y botal, a'r un wynab coch a'r pen moel gynnyn nhw.'

Cilchwarddodd Carol, er ei gwaethaf ei hun. 'A'r un un bol,' meddai, gan gosi Kelvin yn ei fol. 'Ond bod gan hwn fol llefrith yn lle bol cwrw.' Gwaeddodd Kelvin yn uwch, cystal â dweud, sawl ysgelerder arall sydd raid i unrhyw fabi ei ddioddef?

'A dydi Dad ddim yn bell iawn o fod isio help i newid ei glwt y dyddia yma chwaith,' meddai Mici.

Edrychodd Carol arno. Roedd Mici wedi peidio â chellwair, a safai'n smygu wrth edrych allan drwy ffenestr y gegin ar y chwyn yn yr ardd gefn. Roedd gwres y gegin wedi cymylu'r gwydr, a sychodd Mici ef â'i lawes. Gwelodd rywbeth yn symud ymysg y chwyn: un o gathod iobaidd y stad, ei chynffon i fyny fel baner fudd-ugoliaethus wrth iddi fartsio drwy'r mieri. Cludai aderyn marw yn ei safnau . . . na, roedd ychydig o fywyd yn dal ar ôl yn y corff, oherwydd gwelodd Mici'r plu'n fflapian yn wantan. Neidiodd y gath i ben clawdd y tŷ-drws-nesaf a gollyngodd ei hysglyfaeth i'r ardd yr ochr arall; oedodd am eiliad yn ei chwman ar ben y clawdd, ei chlustiau'n ôl, cyn neidio ar ôl yr aderyn anffodus a chrechwenu fel gwallgofddyn—neu felly'r ymddangosai i Mici.

Troes yntau o'r ffenestr gyda gwên.

'Be sy?' holodd Carol.

'Rhyw gath sy newydd ladd deryn,' atebodd. Eistedd-odd wrth y bwrdd i ddiffodd ei sigarét mewn blwch llwch oedd eisoes yn orlawn.

'Ac rwyt ti'n gweld hynny'n beth digri? Rwyt ti'n sic, hogyn.' Gorffennodd Carol newid Kelvin a'i adael ar y llawr tra agorodd ddrws y gegin i ddodi'r clwt budr yn y bin. Cymerodd Mici sigarét o baced ei chwaer a'i thanio. Dilynwyd ei law gan lygaid gleision mawrion Kelvin. Edrychodd Mici arno am eiliad, yna cododd ddau fys arno. Gwenodd Kelvin ei wên ddi-ddant yn ôl ar ei ewythr.

Daeth Carol yn ei hôl i'r gegin. ''Na chdi, 'ngwas i—gwena di ar Yncl Mici. Sbia arno fo'n gwenu'n ddel arna chdi, Mici.'

'Faswn inna'n gwenu hefyd, 'swn i'n 'i le fo. Dim byd i' neud o un diwrnod i'r llall ond bwyta, cysgu, crio a chachu.'

'Sshh! Mae o jest â chysgu rŵan,' sibrydodd Carol. Fel milwr yn cludo bom heb ffrwydro, aeth â Kelvin i'w got yn y parlwr ffrynt.

Eisteddodd Mici'n byseddu trwy'r *Sun*. Oedodd uwchben y ferch fronnoeth ar y drydedd dudalen. Roedd

yn hen bryd iddo yntau gael bodan selog, meddyliodd—
neu hyd yn oed un am noson, mi fyddai hynny'n well na
dim. Doedd o ddim wedi bod efo'r un oddi ar y disgo
diwethaf yn y Queens. Dipyn o snoban fach oedd honno
hefyd, cofiodd, er mai 'mond mecanic oedd ei thad hi.
Wedi iddi fod efo fo yng nghefn y Queens ar y nos
Wener, dim ond edrych arno fel petai'n lwmpyn o faw
wnaeth hi wedyn, er iddo aros yn un swydd amdani y tu
allan i'r ysgol y prynhawn Llun canlynol. Y hi oedd ar ei
cholled, cysurodd Mici'i hun, châi hi ddim cynnig boi
fath â Mici Jones bob diwrnod o'r flwyddyn.

'Be ydi dy blania di am pnawn 'ma?' holodd Carol ef
gan gau drws y gegin yn dawel.

'Dwn i'm eto. Wyt ti am fynd allan?'

'Dw i isio negas, 'dê. Ella a' i â Kelvin draw i Kwiks i
weld Mam, os naiff hi'm troi'n law eto.'

'Ia. Mi fydd Mam wrth 'i bodd.'

Sylwodd Carol ddim ar y coegni yn nhôn ei brawd. Bet
oedd unig aelod cyflogedig y teulu. Doedd Len ddim
wedi gweithio ers blynyddoedd, ac roedd Mici ei hun
heb gael diwrnod o waith oddi ar iddo ymadael â'r ysgol.
Cwyno am y sefyllfa hon a wnâi Bet—nes i Kelvin
ffrwydro i mewn i'w bywyd dri mis yn ôl.

Ers hynny, prin iawn fu ei chwynion am orfod gadael y
tŷ am Kwik Save bob bore.

''Sdim rhaid gofyn lle ma' Dad, mwn.'

'Wedi ''piciad i weld yr hen hogia yn y Legion'','
dyfynnodd Carol. 'Pam?'

'Os wyt ti am fynd â Meat Loaf am dro pnawn 'ma, ella
y ca i fideo allan, cyn i Dad ddŵad yn 'i ôl.'

'Faswn inna ddim yn meindio gwatshiad fideo chwaith,'
meddai Carol. 'Tria ddewis rhwbath neis tro 'ma, Mici,
ddim yr hen betha horyr 'na 'ti'n ga'l bob tro.'

'Tala di, ac mi gei di watshiad be bynnag lici di,'
meddai Mici. 'Eniwe, does 'na'm pwynt ca'l un os wyt ti
a Meat Loaf am aros adra, yn nag oes?'

'Kelvin ydi'i enw fo, ddim Meat Loaf.'

'Ma'n gneud digon o sŵn. Pam na 'sa chdi'n rhoi enw Cymraeg iawn iddo fo?'

'Be sy o'i le efo Kelvin?' gofynnodd Carol yn biwis. 'Mae o'n enw neis. Rwyt ti'n rêl blydi Welsh Nash, Mici, pan mae o'n siwtio chdi.'

'Boi Cymraeg ydw i'n dê? Be wyt ti am alw'r nesa? Montague? 'Ta Bertram?'

'Fydd 'na'r un arall, washi, mi fedra i addo hynna i chdi rŵan.' Taniodd Carol sigarét a chwythodd bensil bigog o fwg tua'r nenfwd.

Edrychodd Mici ar ei chwaer. Dim ond ugain oed, ac yn fam yn barod. Waeth i chdi ddeud ta-ta wrth fwynhau dy hun am y pymtheg mlynedd nesaf o leiaf, Carol fach, meddyliodd. Rwyt ti'n hogan ddigon del, ac rwyt ti wedi cael dy siâp yn ôl ar ôl geni Kelvin ond pa ddyn fydd isio hogan sy'n fam? *Package-deal* wyt ti.

Teimlodd Carol ef yn syllu arni. 'Wyt ti isio llun?' gofynnodd.

'Arglwydd, nag oes! Ma'r cnawd yn ddigon drwg!'

Tynnodd Carol ei thafod arno, ac agorodd y cwpwrdd. 'Ma' 'na fîns yma. Wneith rheini i ginio?'

'Mi fydd raid iddyn nhw, yn bydd?'

'Mi fasa'n gas gen i fod yn wraig i chdi, Mici Jones,' meddai Carol gan arllwys y ffa i mewn i sosban. 'Ista'n fan'na'n disgwyl dy dendans. Rêl secsist.'

'Dw i byth yn mynd i briodi, yn nac dw?' atebodd Mici. 'Weli di mona i'n sadlo'n hun efo gwraig a babi.'

'Gawn ni weld, washi. Dyna ma'n nhw i gyd yn 'i ddeud.'

'Cei, mi gei di weld.'

Nid oedd Mici a Carol Jones yn debyg i'w gilydd o gwbl o ran ymddangosiad, o feddwl eu bod yn frawd a chwaer. Dwy flynedd oedd rhyngddynt, ac roedd Carol yn dal, gyda gwallt golau cwta, tra oedd Mici'n o fyr heb ei fotasau roc-a-rôl, a'i wallt o'n dywyll. Ofnai Mici ei fod yn debyg i'w dad; yn ôl Bet, roedd Len yn foi go smart cyn i'r cwrw gael gafael arno. Roedd Carol, yn ôl yr hyn a ddywedai pawb, yn edrych yn o debyg i Bet pan oedd honno'i hoed hi.

Tybed a fyddai Kelvin yn edrych yr un fath â'i dad pan dyfai o? meddyliodd Mici. Gwyddai pawb mai Tomi Goch oedd y tad; gyrrwr bysiau o 'Stiniog, un diarhebol o dda efo'i ddyrnau. Roedd chwedl enwog amdano'n waldio tri *skinhead* a fu'n ddigon ffôl i godi trwbwl ar y bws un nos Sadwrn.

Roedd gan Kelvin haen o wallt coch yn barod, un denau, denau: edrychai'n hollol foel o unrhyw bellter. Bu Carol a Tomi'n canlyn ei gilydd am wythnosau, a daeth ef a Mici'n dipyn o ffrindiau. Roedd y ddau wedi mopio'u pennau hefo cerddoriaeth Bruce Springsteen, ac roedd Tomi'n aml yn gwthio ambell bapur pumpunt yn slei bach i boced Mici pan oedd pethau'n ddrwg ar y llanc.

Yn anffodus, dechreuodd Tomi fynd yn rhy feddiannol o lawer o Carol. Ceisiodd fynnu bod Carol yn aros i mewn pan oedd ef yn gweithio'r shifft hwyr, a dechreuodd ei dilyn pan oedd hi allan ar ambell noson efo'i ffrindiau. Gwaethygu wnaeth y berthynas, yn naturiol, dan y fath bwysau ac aeth pethau'n ddrwg iawn un noson pan daflwyd Tomi allan o dafarn y Glaslyn ym Mhren-teg am daro rhyw Sais a fu'n llygadu coesau Carol.

Hon oedd yr hoelen olaf yn arch Tomi. Ychydig ar ôl i Carol orffen efo fo, fodd bynnag, darganfu ei bod yn feichiog.

Pan glywodd Tomi gan un o'r genod fod Carol yn disgwyl ei blentyn, roedd wrth ei fodd. Ond pam na fuasai Carol wedi dweud wrtho'i hun?

Y gwir amdani oedd, dychrynwyd Carol yn o ddrwg gan dymer goch Tomi. Credai mai ond mater o amser fyddai cyn iddo ddefnyddio'i ddyrnau enwog arni hi. O ganlyniad, nid oedd arni eisiau i Tomi gael unrhyw gysylltiad pellach efo hi na'r plentyn.

Torrodd Tomi Goch ei galon. Crefodd ar i Carol ei gymryd yn ôl. Y fo oedd tad y babi, wedi'r cyfan, a doedd dim hawl gan Carol i gadw tad a phlentyn ar wahân.

Ofer fu'r holl grefu, fodd bynnag. Ganwyd Kelvin yn Ysbyty Gwynedd un prynhawn yn niwedd Awst. Am wythnos gyfan wedi i Carol ddod ag ef adref, bu Tomi, yn selog am chwarter wedi un ar ddeg bob nos, yn udo yn ei gwrw fel blaidd o dan ffenestr Carol, er mawr fwynhad i'r cymdogion. Do, rhoes yr hen Domi Goch gryn dipyn o sioe iddynt, yn gwneud pob math o ystumiau theatrig, fel syrthio ar ei liniau yn y chwyn a'r baw ci, yn beichio crio a tharo'r ddaear efo'i ddwylo anferth.

'Gad imi 'i weld o, Carol—plîs! Gad imi weld fy mab fy hun!' wylai dros y stad. Un noson, rhwygodd ei grys yn agored er mwyn argyhoeddi Carol fod yna galon yn curo dan ei fron yntau hefyd.

'Dw i'n gwbod 'mod i'n gallu bod yn hen ddiawl calad,' nadodd Tomi, 'ond ma' gen inna galon hefyd, 'sti. Calon sy'n prysur ga'l 'i rhwygo'n ddwy gen ti.'

Rhowlio chwerthin wnaeth Carol ar hyn, nes gorfodwyd iddi beidio gan y pwythau a gafodd ar ôl geni Kelvin. Yn y diwedd, aeth Bet allan i'r ardd yn ei choban a'i chyrlyrs, gan fygwth galw'r heddlu os na fuasai Tomi'n ei ffaglu hi'n ôl i 'Stiniog—'pronto, washi!' Llithrodd Tomi i ffwrdd efo'i gynffon rhwng ei goesau, er mawr siom i'r cymdogion.

'Cerwch chitha i'ch gwlâu hefyd, y diawliad!' gwaeddodd Bet arnynt. Erbyn hyn, daeth perfformiadau Tomi'n enwog ac yn fwy poblogaidd nag unrhyw ffilm oedd ar y teledu, a sylwodd Len efallai y buasai'n syniad i Mici fynd o gwmpas y stad efo het i gasglu arian. 'Pam ddylan ni entyrtenio'r tacla am ddim?' hoffai wybod.

Roedd Mici, fodd bynnag, yn teimlo dros Tomi druan, er na fedrai'n ei fyw ddeall pam yr oedd Tomi mor awyddus i gael cwmni Kelvin.

'Gad i Tomi'i ga'l o am ryw noson ne ddwy,' awgrymodd wrth Carol un bore blinedig, ar ôl i Kelvin fynd i hwyl go iawn yn ystod y nos. 'Buan iawn fydd o'n 'i sodro fo'n ôl yma.' Peltan gafodd Mici gan ei chwaer am feiddio cynnig y fath beth, a gorchymyn i beidio â chrybwyll enw Tomi Goch byth eto.

Ond roedd Tomi'n dal i fyw mewn gobaith. Gwelai Mici ef bob hyn a hyn o gwmpas Port, yn ddagrau i gyd os oedd yn yfed, ac yn mynnu cael gwybod yr holl fanylion am 'yr hen ddyn bach'.

'Ydi o'n siarad bellach?' gofynnodd un noson.

'Yndi,' atebodd Mici, wedi cael llond bol erbyn hynny, 'mae o'n pregethu yng nghapal Tabernacl Sul nesa.'

Ofnai am funud iddo fynd yn rhy bell, ond gwenu'n hurt wnaeth Tomi Goch.

'Ia,' meddai, 'synnwn i damad na fydd o'n bregethwr un diwrnod.'

Yn awr, cysgai'r pregethwr tra oedd ei fam a'i ewythr yn bwyta'u ffa ar dôst.

'Ro'n i'n gweld fod 'na ddisgo arall yn y Queens cyn bo hir,' meddai Carol. 'Ei di yno, mwn?'

Nodiodd Mici ei ben. 'Saff iti. Lle arall sy 'na i fynd?'

'Braf iawn arna chdi.'

'Does 'na'm byd yn dy rwystro di rhag mynd yno,' sylwodd Mici. 'Ma' Kelvin yn 'i wely cyn i mi fynd yno bob tro.'

'Be os basa fo'n deffro? 'Ti'n gwbod wneith o ddim setlo i neb ond y fi.'

Fel actor yn derbyn ei giw dechreuodd Kelvin floeddio.

'O'r Arglwydd—!'

'Amsar 'i ffid o.' Cododd Carol o'r bwrdd. 'Mici— wnei di'm 'i fwytho fo tra dw i'n ca'l 'i botal o'n barod?'

'Y fi?!' Rhythodd Mici ar ei chwaer mewn braw.

'Mi fyddi di'n dad dy hun un diwrnod, washi, dim ots gen i be ddudi di. Tyrd—cyfla iawn i chdi ga'l dipyn o bractis.'

'Uffarn o beryg!' Cododd Mici a gafaelodd yn ei gôt a'i siaced. 'Wneith o ddim setlo i neb ond y chdi eniwe, Carol. Dyna be ddudist ti gynna.' Gwisgodd ei ddillad ac agorodd ddrws y gegin.

'Mici . . . !'

Ond aeth Mici allan gan glepio'r drws ar ei ôl. Dilynodd sgrechfeydd Kelvin ef fel cysgodion yr holl ffordd i lawr y stryd.

* * * * * *

Eisteddai Gwenno a Carys Wyn yn rhannu bwrdd yn y Caffi Newydd.

Mynnai Carys gael bwrdd yn ddigon pell o'r ffenestr bob tro, rhag ofn i rywun ddigwydd edrych i mewn wrth gerdded heibio a'i gweld yn smygu.

''Ti'n gwbod fel ma' hi yma, pawb yn nabod pawb a neb yn meindio'i fusnas 'i hun,' meddai wrth Gwenno. 'Ma' 'na rywun wedi achwyn amdana i wrth Dad yn barod, a deud wrtho fo 'mod i'n smocio.'

'Wyddost ti pwy ddaru?' gofynnodd Gwenno.

Roedd Carys wedi prynu Kit Kat, a thorrodd ddarn i'w gynnig i Gwenno. Ysgydwodd Gwenno'i phen.

'Na, 'sgen i'm syniad. Ddaru Dad wrthod deud. Rhyw hen drwyn, ma'n siŵr, un o'r bobol capal 'na.' Brathodd i'r fisged. 'Welis i Arwel gynna.'

'Lle oedd o?'

'Yn sbio ar y llyfra'n siop Smith's.'

'Ia, mwn. Yn fan'no ne yn Siop Eifionydd ne'r lle Browser's Bookshop 'na mae o'n byw ac yn bod.'

'Roedd o'n edrach yn reit ddigalon,' meddai Carys.

'Oedd o?'

'Oedd. Ac yn gofyn amdanat ti.'

'Mi geith o ofyn hynny licith o,' meddai Gwenno. 'Mae o'n rêl poen y dyddia yma, yn sbio arna i efo ryw ll'gada ci bach bob tro mae o'n 'y ngweld i'n 'rysgol.'

'Dwn i'm be welist ti ynddo fo'n y lle cynta,' meddai Carys. 'Ma' 'na ddigon o hogia delach na fo i' ga'l. Gwranda . . .' Gwyrodd Carys ymlaen dros y bwrdd yn gyfrinachol. 'Fedri di ddeud wrtha i rŵan, 'dach chi wedi gorffan. Sud foi ydi o am . . . ysti?'

Cododd Gwenno'i hysgwyddau. 'Dwn i'm. Sud 'ti'n disgwl i mi wbod, Carys?'

'O, tyrd yn dy flaen!' Gwenodd Carys. 'Mi fuost ti'n mynd efo fo am fisoedd. Siawns 'ych bod chi wedi gneud mwy na gafa'l yn nwylo'ch gilydd.'

'Dydi pawb ddim fath â chdi, 'sti. Secs mad.'

'Be 'ti'n feddwl? Dydw i ddim . . .'

''Sgen ti ddim byd arall ar dy feddwl, Carys Wyn. 'Ti'n waeth na hogia.'

'Clywch pwy sy'n siarad! Tyrd yn dy flaen, Gwenno, owt widd it.'

'Dydi o'm byd i' neud efo chdi, yn nac ydi?'

'Gwenno—!' griddfanodd Carys.

'Y chdi oedd yn deud gynna fod 'na neb yn meindio'u busnas 'u hunain yn y Port 'ma.'

'O, 'na chdi, 'ta. Paid â deud os wyt ti'm isio.'

'Wna i ddim.'

Bu tawelwch rhwng y ddwy eneth am rai eiliadau. Roedd y caffi'n weddol lawn, hefo'r byrddau i gyd wedi eu cymryd, ac yn boeth; rhedai ffosydd o stêm i lawr y ffenestri, a deuai sŵn hisian y peiriannau dŵr poeth a choffi o'r tu ôl i'r cownter i foddi sgyrsiau'r cwsmeriaid. Eisteddai mam ifanc efo dau o blant bach wrth y bwrdd nesaf, bachgen a merch, y ferch tua phedair oed a'r bachgen efo'i ddymi yn ei geg. Roedd y ferch yn rêl hen bupur fach, yn parablu nerth ei phen. Sylwodd ar Gwenno'n edrych arni, a gwenodd yn swil. Edrychodd ei mam i fyny i weld beth oedd wedi tawelu ei merch, a gwenodd hithau.

'Ro'n i'n ama fod rhywun wedi sbio arni hi,' meddai wrth Gwenno. 'Ma'n cymryd dipyn i hon roid rest i'w thafod.'

'Haia,' meddai Gwenno wrth yr eneth fach. 'Clyw be ma' dy fam yn ddeud amdanat ti.' Gwenodd y ferch fwy byth. 'Be ydi dy enw di?'

'Deud be 'di d'enw di,' pwniodd y fam ei phlentyn yn ysgafn.

'Meinir . . . '

'A be amdana chdi, cowboi?' holodd Gwenno'r bachgen bach.

'Arwel ydi'i enw fo,' atebodd ei chwaer drosto. Clywodd Gwenno Carys yn pwffian chwerthin. 'Dydi o'm yn gallu siarad eto, siŵr.'

'O, nac ydi?'

'Nac ydi, siŵr. 'Mond dipyn bach. Mae o'n gallu deud "haia".'

'Haia!' meddai Gwenno wrth y bachgen. Edrychodd yn ôl arni hefo llygaid mawrion glas, ei ddymi'n symud i fyny ac i lawr yn ei geg.

'Does 'na ddim dengyd i chdi, Gwenno,' chwarddodd Carys.

Anwybyddodd Gwenno hi. 'Faint ydi eu hoed nhw?' gofynnodd i'r fam.

'Ma' hi'n bedair rŵan ac mae o newydd ga'l 'i ddeunaw mis.'

Gwyliodd Gwenno Meinir, yr eneth fach, yn sugno· sudd oren yn swnllyd trwy welltyn, ei llygaid wedi'u hoelio ar yr hogan fawr yma oedd yn dangos cymaint o ddiddordeb ynddi hi a'i brawd. Taniodd Carys Wyn sigarét, a gwgodd Gwenno arni am wneud hynny o flaen y plant.

Edrychodd Carys yn hurt arni. 'Be sy?'

Roedd y fam wedi deall. 'Peidiwch â phoeni,' meddai wrth Carys. 'Ma'r rhein wedi hen arfar efo'u tad. 'Dan ni

49

am 'i throi hi rŵan, beth bynnag. Argol, Meinir!' meddai wrth ei merch. 'Gad waelod y gwydryn ar ôl, wnei di?'

Ysgydwodd ei phen a gwenodd ar Gwenno a Carys wrth godi o'r bwrdd. 'Ta-ra.'

'Ta-ra . . . ' Gwyliodd Gwenno hwy'n gadael, ei gwên fel petai wedi'i phaentio ar ei hwyneb. Edrychodd Carys arni, a gwelodd, er mawr syndod iddi, fod llygaid ei ffrind yn disgleirio'n llaith.

'Gwenno? Gwenno—be sy?' Rhowliodd dau ddeigryn tew i lawr gruddiau Gwenno. Gyda braw, gwyliodd Carys ei gwefusau'n troi i lawr.

'Blydi hél—Gwenno!'

'O, Carys . . . be wna i? Be ddiawl dw i am neud?'

Claddodd Gwenno'i wyneb yn ei dwylo, ac wylodd. Roedd y caffi wedi tawelu i gyd. Edrychodd Carys o'i chwmpas, yna estynnodd ei llaw allan a gafaelodd ym mraich ei ffrind.

'Tyrd, Gwenno,' meddai'n dawel. 'Awn ni am dro bach. Mi fyddi di'n teimlo'n well wedyn.'

Pennod 4
HWYL AR BNAWN SADWRN

Gwyliodd Arwel y môr yn ei hyrddio'i hun yn erbyn gwaelod craig y castell. Safai efo'i ddwylo ym mhocedi ei anorac a'i ên wedi'i gwthio i mewn i gynhesrwydd ei sgarff, gan adael i'r gwynt chwythu'n flêr trwy'i wallt.

Heblaw amdano ef a chwpwl ifanc yn gwrando ar Radio 1 mewn car nid nepell oddi wrtho, roedd promenâd Cricieth yn wag. Am hanner awr wedi pedwar ar brynhawn Sadwrn fel hyn, byddai'r rhan fwyaf o bobl yn cael eu te cyn paratoi ar gyfer y noson o'u blaenau. Noson i edrych ymlaen ati i amryw; noson i'w threulio yng nghwmni ffrindiau neu gariadon, mewn tafarn neu glwb, mewn bwyty neu sinema. Hon, yn ôl traddodiad, yw *y* noson gymdeithasol o'r wythnos; mae bron yn gabledd ei threulio ar eich pen eich hun, yn enwedig a chithau'n ifanc.

Os felly, roedd Arwel yn gableddwr heb ei ail. Safai'n gwylio'r llanw a oedd un ai ar ei ffordd i mewn neu ar ei ffordd allan—nid oedd yn siŵr p'run. Symudai wyneb y môr i fyny ac i lawr fel bron un byr ei wynt yn bustachu anadlu, a chrensiai'r cerrig mân wrth i'r tonnau eu llyfu.

Trodd Arwel ei ben i'r chwith gan ochneidio i gyfeiriad Moel y Gest a wisgai wìg lwyd dros ei gorun noeth, ei gorff fawr mwy na lwmpyn ychydig llwydach na'r awyr. Ddyddiau ynghynt, gallai edrych â rhywfaint o hoffter ar yr hen Foel a theimlo cyffro'n cosi'i fol. Erbyn heddiw, roedd y cosi wedi troi'n bigo milain. Ni fedrai edrych ar

Foel y Gest heb feddwl am Borthmadog, ac ni fedrai feddwl am Port heb feddwl am Gwenno.

Treuliodd y bore a hanner y prynhawn yn yr union dref honno. Cerddodd trwy stryd fawr y dref heb weld o'r Queens i'r harbwr 'run wyneb ond y hi—ac un Carys Wyn, a'i gwelsai'n pori mewn llyfr gan awdur o Dde America, yn dwyn y teitl addas *One Hundred Years of Solitude*.

'Ddaru chi ffraeo?' gofynnodd ei fam pan ddywedodd wrthi fod y garwriaeth drosodd rhyngddo fo a Gwenno.

'Naddo. Wel—ddim tan wedyn.'

''Na chi—mi fedrwch chi ddal i fod yn ffrindia, yn medrwch?' meddai ei fam. 'Paid â phoeni, 'ngwas i. Ma' 'na ddigon o genod erill o gwmpas.'

Mae gen i ddigon o ffrindiau! Teimlodd Arwel fel gweiddi ar ei fam. Bodan dw'i hisio, nid ffrind arall. A dw i ddim isio unrhyw hogan arall, chwaith. Os na cha i Gwenno, yna does arna i ddim isio neb.

Dywedodd ei dad fwy neu lai'r un geiriau wrtho, gan ychwanegu, 'Ma' dy waith ysgol di'n bwysicach ar y foment, beth bynnag. Mi gei di ddigon o amsar i boitshio hefo merchad pan fyddi di wedi gada'l y coleg.'

Brenin Mawr! Roedd hynny *flynyddoedd* i ffwrdd! Doedd yr un o'i rieni'n ei ddeall; doedden nhw ddim wedi dod yn agos at werthfawrogi'i deimladau. Sut ar wyneb y ddaear gron roedd ei dad yn disgwyl iddo fedru canolbwyntio ar ei waith ysgol rŵan, wedi'r drasiedi fawr?

Na, y peth gorau fedrai o'i wneud fyddai mynd i fyw fel mynach i fynachlog ar ben mynydd yng ngwlad Tibet neu rywle. Neu ymuno'n syth bin âr Lleng Dramorol: mynd i ganol yr anialwch i anghofio, fel y gwnaeth Beau Geste.

Dechreuodd Arwel freuddwydio. Roedd Gwenno'n sefyll yma gydag ef ar y ffrynt yng Nghricieth, newydd ddweud wrtho ei bod am i'r berthynas orffen, ac yntau'n syllu allan dros y môr cyn troi ati efo gwên fach ddewr gan ddweud,

'Os gwneith hynny chdi'n hapus, Gwenno, yna mae'n iawn efo mi. Dyna'r oll sy'n bwysig i mi—dy hapusrwydd di. Os fyddi'n hapusach hebddof, yna pwy ydw i i sefyll rhyngddot ti a'th wir ddedwyddwch?'

Yna, dyna Gwenno'n syllu arno, wedi'i syfrdanu gan y fath foneddigrwydd, a hynny o enau bachgen cyffredin! 'Diolch iti, Arwel,' meddai, ei gwefusau'n crynu ychydig gydag emosiwn, 'diolch iti am ddallt.'

Yna dyna hi'n dal ei hwyneb i fyny am un gusan fach olaf, cyn troi a cherdded i ffwrdd oddi wrtho, yn rhydd i fyw ei bywyd.

Ac yntau? Ni allai ond syllu ar ei hôl am eiliad, tynnu ei oriawr a'i gadael hi ar ben y wal cyn camu'n ddi-droi'n-ôl i ganol cofleidiad gwlyb y tonnau.

Codai Gwenno'i llaw arno, ond yna, dyna hi'n aros yn stond ar ôl gweld nad oedd o yno mwyach.

'Arwel! Arwel!' sgrechiodd wrth i'r gwir ofnadwy ei tharo, cyn rhedeg yn ei hôl nerth ei thraed—ond yn rhy hwyr. Syllodd ar y môr, ei oriawr yntau yn ei llaw, nes i'w dagrau euog ei dallu o'r diwedd.

Cychwynnodd peiriant car y cwpwl ifanc gan ysgwyd Arwel o'i freuddwyd. Ochneidiodd unwaith eto cyn troi tuag adref. Nid oedd yna fawr o ddim ar y teledu'r noson honno. Beth arall oedd yna i'w wneud? Mynd i'w ystafell i ddarllen—roedd ei lyfrau ganddo o hyd.

Yna cofiodd fod ganddo draethawd i'w ysgrifennu erbyn dydd Llun ar hiwmor Kate Roberts. Oedd, roedd bywyd fel petai'n gwneud ati i fod yn greulon weithiau.

* * * * * *

Cafodd Mici Jones brynhawn difyr iawn. Ar ôl gadael i'w chwaer ddelio â sgrechfeydd Kelvin, cerddodd drwy'r Stryd Fawr at yr harbwr.

Eisteddodd am ychydig ar y bont, gan edrych dros ei ysgwydd dde ar y cychod yn pori'n aflonydd ar wyneb y dŵr. Dywedodd Tomi Goch wrtho unwaith mai tafarndai oedd y rhan fwyaf o dai Pen Cei'n wreiddiol, gyda phuteiniaid yn cynnal eu busnesau o'r ystafelloedd uwch eu pennau. Faint o wirionedd oedd yn hynny, doedd wybod; roedd 'na gynffon go hir i'r rhan fwyaf o storïau mwyaf lliwgar Tomi.

Yn yr haf, pan fyddai'r llanw'n uchel ar ddiwrnod poeth, byddai Mici ymhlith criw o hogiau Port a fyddai'n eu dangos eu hunain i ferched dieithr wrth neidio a deifio o'r bont. Gwenodd wrth gofio dwy Saesnes yn troi i ffwrdd yn swp sâl ar ôl gweld Stanli Hipi'n neidio i'r dŵr yn goc i gyd—ond i godi yng nghanol y budreddi afiach a ddaeth allan o geg peipen y garthffos y funud honno.

Deuai sŵn gitarau a drymiau o siop Recordiau'r Cob ar draws y ffordd. Ymgodymodd Mici â themtasiwn am ychydig, yna ildiodd, gan adael i'r gerddoriaeth ei ddenu tua'r siop.

Buasai Mici'n rhoi ei ddannedd i gyd am gael gweithio yn Recordiau'r Cob. Teimlai genfigen gref tuag at bob aelod o'r staff; ni fedrai feddwl am well ffordd o dreulio'i oes na thrwy anadlu cerddoriaeth roc da o un diwrnod i'r llall—a chael ei dâlu am wneud hynny hefyd. Bron na fyddai'n fodlon gweithio yno am ddim . . . bron.

Cob Caffi oedd enw ei rieni ar y siop. Soniai Bet yn aml am dreulio oriau lawer yn seler yr adeilad yn nechrau'r chwedegau—cyn i'r Beatles ddod yn enwog, hyd yn oed—ond gwerthu recordiau a thapiau newydd ac aill-law a wnâi'r siop cyn belled ag y cofiai Mici.

Ac yr oedd erbyn heddiw'n fan cysegredig iddo, oher-wydd yma y clywsai Bruce Springsteen am y tro cyntaf un.

The Rangers had a homecoming
Down in Harlem late last night,
And the Magic Rat drove his sleek machine
Over the Jersey state line . . .

Cyn gynted ag y clywodd Mici'r geiriau, a'r llais cras byr-ei-wynt yn eu hanadlu dros y siop cyn i'r sacsoffôn nofio i mewn i'r unawd mwyaf godidog, gwyddai fod raid iddo brynu'r record. Wedi iddo chwarae honno'n dwll, bron, rhaid wedyn oedd cael y casgliad cyfan.

A daeth uchafbwynt bywyd Mici Jones un Gorffennaf pan deithiodd yr holl ffordd i Leeds mewn bws a drefnwyd gan Recordiau'r Cob, i ymuno â'r cannoedd-o-filoedd o leisiau eraill i floeddio geiriau'r caneuon i'r awyr agored ac addoli wrth draed y Bòs, nes bod ei lais yn groch a'i wddf yn llosgi'n braf.

Heddiw, fodd bynnag, nid oedd am gael y pleser o bori ymysg y recordiau. Wrth iddo estyn am handlen y drws, agorwyd y drws o'r tu mewn a daeth wyneb yn wyneb â Dei Slei a Lisa, Dei efo dwy record mewn bag papur melyn dan ei gesail.

'Mici Jos, 'achan! 'Ti'n o lew?'

'Iawn, 'sti, Ffocsi. Lisa . . . '

'Haia, Mic.'

Deuai sŵn y grŵp Deacon Blue o'r siop y tu ôl i Lisa, a throdd Mici'i drwyn.

'Ia, dw i'n gwbod,' meddai Dei Slei. 'Hon fynnodd 'u bod nhw'n chwara'r rheina. Dim rhyfadd fod y siop wedi gwagio.'

'Jest bod gen ti ddim tâst!' Derbyniodd Dei bwniad yn ei ysgwydd gan Lisa. Gwallt wedi'i dorri yn hynod gwta, fel un Eddie Ladd yn y rhaglen *Fideo. 9*, oedd gan Lisa. Gwisgai hen siaced laes, ddu dros leotard du a siwmper biws, efo dwsinau o fathodynnau o bob math yn addurno'r siaced. Roedd hi'n syndod iddi fedru cerdded o gwbl dan yr holl bwysau.

'Does yna olwg y diawl ar yr hogan wirion 'na?' meddai Bet un diwrnod, pan drawodd hi a Mici ar draws Lisa ar y stryd. Ond roedd yna rywbeth tlws iawn ynddi, a bu Mici allan efo hi ryw deirgwaith cyn iddi ddechrau mynd efo Dei Slei, ac un tro wedyn pan oedd Dei yn ei wely'n ymladd y ffliw.

Taflodd Lisa winc fach gyfrin ar Mici o'r tu ôl i gefn Dei, a llyfodd ei minlliw du'n araf a phryfoclyd gan ffwndro Mici'n lân.

'Sori—be ddudist ti, Ffocsi?' Roedd Dei Slei wedi gofyn rhywbeth iddo.

'Peint, 'achan. Wneith hi un bach sydyn?'

'Wel . . . ro'n i am drio cadw 'mhres tan y disgo 'ma.'

'Tyrd yn dy flaen. Mi bryna i un i chdi.' Di-waith oedd Dei Slei hefyd, ond roedd digon o bres ganddo bob amser. Un felly y bu erioed, hyd yn oed yn yr ysgol, a gwrthodai egluro o ble y deuai'r arian yn y lle cyntaf.

'Ma' hi'n talu i fod yn slei, hogia,' fyddai'r ateb bob tro, ac yn raddol blinodd pawb ar ei holi. Ond Dei Slei oedd ei enw bellach, neu 'Ffocsi' i'w ffrindiau agosaf. Edrychai braidd fel llwynog hefyd—Siôn Blewyn Coch mewn ffurf ddynol—efo gwallt cringoch wedi'i steilio'n ofalus, corff hir, main, a llygaid brown aflonydd. Anodd oedd credu mai tynnu'r dôl a wnâi; roedd wastad wedi'i wisgo'n ffasiynol dwt. Heddiw, gwisgai gôt law olau, laes dros bar o jîns 501 glas a graenus, siaced dywyll a edrychai fel rhan o siwt i Mici, a thei goch dywyll, denau wedi'i chlymu'n llac i goler crys gwyn a streipiau duon arno. Teimlai Mici fel cardotyn wrth ei ochr.

'Oes raid i chdi wisgo mor posh?' gofynnodd iddo'n awr, wrth gerdded efo Dei a Lisa dros bont yr harbwr.

'Dydi hyn ddim yn posh,' gwenodd Dei. 'Y chdi sy heb arfar efo dipyn o steil.'

'Sud deimlad ydi mynd allan efo iypi?' holodd Mici

Lisa. Chwarddodd hithau'n ddilornus.

'Iypi—hwn? Yr unig iypi dw i'n nabod sy ar y dôl,' meddai dros ei hysgwydd. Doedd 'na ddim palmant yr ochr honno i'r bont, felly bu'n rhaid ei chroesi mewn rhes oherwydd y ceir a wibiai drosti am Sir Feirionnydd. Mici oedd yr olaf, efo Lisa yn y canol. 'Ffansïo'i hun mae o 'sti, Mic. Rhaid iddo fo—does 'na neb arall am neud, yn nag oes?'

Chwarddodd Mici, ond anwybyddu'i gariad a wnaeth Dei Slei. Aha, meddyliodd Mici, mae'r rhein wedi cael ffrae.

''Dach chi 'di ffraeo?' gofynnodd yn ddi-dact fwriadol, wrth iddynt gyrraedd pen arall y bont.

'Be ydi o i' neud efo chdi?' meddai Dei Slei.

'Do,' meddai Lisa, gan ychwanegu: 'Eto'.

'Am be?' pryfociodd Mici. Trodd at Lisa. 'Pam, Lis?'

'Be ydi hi am fod, Ci Drain—peint 'ta dwrn yn dy wep?' gofynnodd Dei.

'Y . . . peint, dw i'n meddwl,' atebodd Mici gan wenu, ond edrych braidd yn siomedig a wnaeth Dci, fel petai wedi rhyw hanner gobeithio y byddai Mici wedi dewis dwrn.

Troes Mici i dynnu ystumiau ar Lisa. 'Mae o'n flin heddiw 'ma, Lis. Be wnest ti iddo fo?'

Gwenodd Lisa, ond ni ddywedodd ddim. Rhaid fod pethau'n waeth nag yr oedd Mici wedi'i feddwl. 'Be brynist ti, 'ta?' gofynnodd Mici i Dei, gan obeithio torri'r ias—wedi'r cwbl, roedd peint yn beint. Gwasgodd Dei y recordiau'n dynnach i'w gesail.

'Rybish,' meddai Lisa, cyn iddo gael cyfle i ateb. 'Be arall?'

'Guns 'N Roses a Bon Jovi,' meddai Dei.

'Miwsig go iawn, was. Hogia'n chwara'u hofferynna, yn lle pwyso botyma ar synths.'

'Rybish,' meddai Lisa eto.

Troes Dei arni. 'Yli—'sdim rhaid i chdi wrando arnyn nhw.'

'Wna i ddim, paid â phoeni. Ma' gen i ormod o barch i 'mrên.'

'Pa blydi brên? Wyddwn i ddim fod gen ti frên.'

'Rhaid bod gen i ddim un, chwaith—ne 'swn i ddim yn mynd allan efo chdi, yn na faswn?'

''Sdim rhaid i chdi neud hynny chwaith.'

'Nac oes, dw i'n gwbod.' Gafaelodd Lisa ym mraich Mici a'i gwasgu, gan wenu i'w wyneb. Edrychodd ef yn syth o'i flaen. Nid oedd am fentro chwarae o gwmpas efo bodan Dei Slei yng ngŵydd y bachgen—nid cyn cael peint, beth bynnag.

Croesodd y tri'r Stryd Fawr gan gerdded heibio i'r Parc am dafarn y Llong, Lisa'n dal ei gafael ym mraich Mici.

'Wnei di mohona i'n jelys drwy fflyrtio efo hwn, 'sti,' meddai Dei Slei wrthi.

'Pwy sy'n deud mai fflyrtio dw i? Dw i'n licio gafa'l yn 'i fraich o, 'mond i chdi ga'l gwbod.'

'Wyddost ti ddim lle mae o wedi bod.'

'Dim ots gen i.'

'Rŵan, blantos,' meddai Mici. 'Pidiwch â ffraeo, da chi.'

'Ga i sws, Mic?'

'Na chei. Os ro i un i chdi, bydd raid imi roid un i Ffocsi hefyd, ne wneith o ddim byd ond strancio.'

Chwarddodd Lisa, a chamodd Mici'n ei ôl i adael iddi ddilyn Dei i mewn i'r Llong, ac i ryddhau'i fraich. Cododd Lisa'i haeliau, cystal â dweud, O.K. Mici, mi wna i beidio rŵan, rhag ofn i bethau fynd dros-ben-llestri—ond mae'n hwyl, yn dydi?

Roedd cryn dipyn o gwsmeriaid yn y dafarn, llawer ohonynt yn wynebau dieithr yn siarad Saesneg. Aeth Lisa ar ei hunion i'r sgrechflwch, er bod cân gan Simple Minds yn chwarae'n uchel ohono'n barod.

'Dos di i chwilio am rwla i ista,' meddai Dei wrth Mici. 'Deud wrth un o'r Saeson 'na am symud, os oes raid.'

Gwelodd Mici fwrdd gwag mewn cornel ac aeth ato. Tynnodd ei gôt, gan ei phlygu'n ofalus a'i dodi o dan ei gadair cyn eistedd. Cododd ei law ar Lisa i ddangos iddi ble'r oedd yn eistedd. Gwenodd hithau a symudodd at y peiriant ffrwythau.

Cyrhaeddodd Dei Slei gyda dau wydryn llawn o lagyr. Gosododd un ohonynt gerbron Mici ac eisteddodd.

'Iechyd da.'

'Ia.'

Yfodd y ddau'n dawel am ychydig eiliadau. Roedd gwydryn hanner llawn ar y bwrdd yn barod.

'Pwy bia hwn?' holodd Dei.

'Dwn i'm. Pwy bynnag ydi o, dydi o'm yma, yn nac ydi?' Cynigiodd Mici sigarét i Dei. Ysgydwodd Dei ei ben. 'Dw i'n trio rhoi'r gora iddi.'

'Dyna pam wyt ti mor flin?' gofynnodd Mici.

'Dw i ddim yn flin.'

''Ti'n flin fel tincar, Ffocsi.'

Nodiodd Dei ei ben i gyfeiriad Lisa. 'Yr hogan 'na sy'n mynd ar 'yn wic i weithia,' meddai. 'Sbia arni hi rŵan.'

Roedd Lisa'n chwerthin ar ben rhywbeth a ddywedwyd wrthi gan fachgen ifanc mewn anorac las ac esgidiau cerdded trymion.

'Blydi Sais,' meddai Dei Slei. Troes Lisa i weld a oedd Dei'n edrych arni. Syllodd y ddau ar ei gilydd am ennyd cyn i Lisa droi'n ei hôl, efo gwên siriol newydd sbon, at y bachgen. 'Blydi merchad,' meddai Dei wedyn, cyn troi ei gefn arni. 'Be amdanat ti, Ci Drain? Wyt ti'n dal i weld hogan Ieuan Garej?'

'Honno?' Ysgydwodd Mici'i ben. 'Doedd hi ddim isio'n nabod i wedyn.'

'Ma' hi'n hogan gall, felly. Ac yn beth fach handi. Rhy

ddel i chdi, Mici Jos.'

'Ma' hi'n gwbod 'i bod hi, hefyd,' meddai Mici. Cymerodd arno igian crio. ''Mond . . . 'mond isio fi am un peth roedd hi, Ffocsi . . . unwaith roedd hi wedi'n iwsio fi, doedd hi ddim isio gwbod wedyn . . . !'

'Callia'r clown.'

'Fy nhaflu i ffwrdd, fath â hen faneg . . . !'

Ffrwydrodd record gan Transition Vamp o'r sgrech-flwch, ond doedd y gerddoriaeth ddim digon swnllyd i foddi gwich uchel Lisa wrth i'r peiriant ffrwythau chwydu'i berfedd allan iddi. Neidiodd gan gofleidio'r bachgen dieithr a chusanu'i foch cyn ei ollwng er mwyn sgubo'r arian i'w dwylo. Gwelodd Mici wefusau Dei'n tynhau.

'Paid â chymryd sylw ohoni, Ffocsi,' mentrodd gynghori'i gyfaill. 'Tynnu arna chdi ma' hi.'

''Ti'n meddwl?' Trodd Dei Slei'n ôl yn araf i wynebu Mici. 'Traffarth Lisa ydi, dydi hi byth yn gwbod lle i stopio.'

Cododd Mici'i ysgwyddau. 'Os 'ti'n deud.'

'Yn nac ydi, Ci Drain?'

'Be?'

''Ti'n gwbod be dw i'n feddwl.'

Dechreuodd Mici deimlo'n bur annifyr. 'Hei, tyrd yn dy flaen, Ffocsi, 'mond fflyrtio efo fi roedd hi.'

'Ia—gynna'n dê. Ddim am gynna dw i'n siarad.'

'Wel . . . be, 'ta?'

'Rhai peryg ydi'r petha ifanc 'ma, 'sti,' meddai Dei, fel petai mewn gwth o oedran ei hun. 'Ma' hon yn beryg bywyd. 'Faswn i byth yn 'i thrystio hi efo dim byd—nag efo neb, chwaith. Ond 'ti'n gwbod hynny dy hun, yn dwyt—Ci Drain?'

'Gwranda, Ffocsi . . . '

'Paid â meddwl 'mod i'n stiwpid, Mici Jos. Fuost ti allan efo hi, yn do, pan o'n i'n sâl?'

'Naddo. Yli . . . '

'Ma' Lisa wedi deud wrtha i, was. Ia—mi fedri di sbio fath â llo. Ddudis i wrtha chdi fod y bodins ifanc 'ma'n beryg bywyd, yn do?'

Daeth y record i ben, a cheisiodd Mici wenu yn y distawrwydd sydyn.

'Lwcus 'yn bod ni'n fêts, yndê, Ffocsi?'

'Dyna 'ti'n galw dy hun? Dw i'n gwbod yn iawn y basa chdi'n mynd efo hi eto, 'tasa chdi'n ca'l hannar cyfla. Welis i'r ffordd roeddach chi'n sbio ar 'ych gilydd pnawn 'ma.' Cychwynnodd record ddawns gan Bobby Brown yn ddirybudd, a neidiodd Mici ryw fymryn. Pwysodd Dei tuag ato dros y bwrdd. 'Dydi mêts go iawn ddim yn mynd efo bodins 'i gilydd ar y slei, Ci Drain. Rwyt ti'n lwcus nad ydw i 'di yfad llawar.'

'Yli, Ffocsi—be fasa chdi'n 'i neud, 'tasa 'na fodan fath â Lisa'n gwthio'i hun arna chdi?' Amneidiodd tuag at y peiriant ffrwythau. 'Sbia arni hi—mi eith hi ar ôl rwbath mewn trowsus, 'achan!'

'Mi newidist di dy diwn yn sydyn iawn. 'Mond tynnu arna i oedd hi funud yn ôl. Rŵan arni hi ma'r bai i gyd.' Pwysodd Dei'n ôl yn ei gadair, ei wyneb yn llawn dicter. 'Rwyt ti'n pathetig, Mici Jos. Dim rhyfadd i hogan Ieuan Garej ga'l digon arna chdi ar ôl un noson.'

'Ei chollad hi ydi o,' meddai Mici'n ddi-hid. Yna teimlodd ryw ddiafol y tu mewn iddo'n ei annog i ychwanegu: 'Dw i wedi bod efo rhei lot gwell na hi. Ma' Lisa'n un ohonyn nhw.'

'Be ddudist ti'r—!'

''Tasa chdi'n gwbod sud i edrach ar 'i hôl hi'n iawn, fasa hi ddim yn chwara o gwmpas efo hogia erill, yn na fasa?' Edrychodd i gyfeiriad y peiriant ffrwythau eto. 'Os basa hi'n fodan i mi, fasa hi ddim yn ca'l actio fel 'na, ma' hynny'n saff.'

Edrychodd Dei arno am eiliadau, gan anadlu'n drwm, yna troes i edrych ar Lisa'n pwyso a'i chefn yn erbyn y peiriant, yn gwrando'n llygaid i gyd ar y bachgen dieithr.

61

Gwelodd Dei a Mici'n syllu arni, ac ymsythodd. Dywedodd rywbeth wrth y bachgen yn frysiog, cyn dod atynt. Dilynodd y bachgen hi.

'Rydach chi'n sbio'n seriws iawn, hogia,' sylwodd Lisa. Daliodd ei llaw allan i ddangos llond cledr o arian. 'Sbia, Ffocsi . . . '

'Pwy ydi'r bansan yma, Lis?' holodd Mici'n ddiniwed, gan edrych ar y bachgen dieithr.

Roedd wyneb Dei wedi rhybuddio Lisa fod rhyw gynnwrf ar y gweill. Ceisiodd ymddwyn yn ddi-hid. 'O—'mond Terry ydi o. Boi iawn . . . '

'Oh, good day, Terence, old chap!' cyfarchodd Mici'r bachgen mewn acen ffug-Saesneg gref, yna troes at Dei. 'Dydi hogia Port ddim digon da i Lisa rŵan, yli, Ffocsi.'

'What? I don't speak Welsh, sorry,' meddai'r bachgen. Acen Lerpwl oedd ganddo, ac roedd yntau wedi hen synhwyro'r tyndra.

Chwarddodd Mici. 'Sgowsar, Ffocsi! Blydi Sgowsar!'

'Cau hi, Mici.' Edrychodd Dei ar Lisa. 'Stedda i lawr efo ni rŵan.'

'Ma' gen i ddiod ar y bar,' meddai Lisa. ''Mond siarad efo fo ro'n i, Ffocsi . . . '

'Stedda i lawr!'

Roedd Dei o fewn trwch blewyn o golli'i dymer. Gwenodd Mici efo boddhad.

'Have a drink,' meddai wrth y bachgen, gan ddangos y gwydryn oedd ar y bwrdd yn barod iddo.

'Rho'r gora iddi hi, Mici,' meddai Lisa. Eisteddodd i lawr wrth ochr Dei gan estyn am ei law, ond cipiodd Dei ei law o'i gafael.

Cychwynnodd y bachgen, Terry, droi ond galwodd Mici arno.

'You haven't finished your drink.'

'Me own pint's on the bar.' Syllodd y bachgen ar Mici. *'Look lads—I don't want any trouble, all right.'*

'Ia—cau dy geg, Mici,' gorchmynnodd Dei.

'*You don't want to drink with us, but you want to chat up my mate's girl,*' meddai Mici. 'Welist ti o, Ffocsi, yn do? Faswn i wedi rhoid slap iddo fo ers meitin, 'dê.'

'*I wasn't trying to . . .*' cychwynnodd y bachgen, yna troes i ffwrdd yn ddiamynedd.

'*What do you call a Scouser in a suit?*' meddai Mici wrth ei gefn. '*The Accused!*' Chwarddodd yn uchel.

Dychwelodd y bachgen i'r bar heb droi.

'Be 'ti'n drio neud, Mici?' holodd Lisa.

'Be oeddat *ti*'n drio neud, Lisa?' Troes Dei Slei arni'n ffyrnig. 'Trio gneud ffŵl ohona i o flaen pawb?'

''Mond siarad oeddan ni . . . '

'Dw i'n gwbod be ydi dy "siarad" di!'

'Be 'ti'n feddwl?'

'Rwyt ti'n lwcus nad ydw i 'di yfad llawar!'

Gwenodd Mici i mewn i weddill ei beint. Hawdd fuasai meddwl, o wrando arno, mai tipyn o foi oedd Dei Slei yn ei ddiod.

'Os na fedra i siarad efo rhywun, hyd yn oed . . . !'

'Ddim fath ag wyt ti'n siarad efo hogia, Lisa.'

Gorffennodd Mici ei beint a chododd, gan wisgo'i gôt. 'Rŵan, blantos, peidiwch â ffraeo, da chi. Diolch am y peint, Ffocsi. Wela i chi o gwmpas.'

Agorodd y drws, yna troes. 'Hwyl, Lis.' Taflodd winc arni, ac aeth allan.

CYFFESU

Discover 2

'Mae o'n swnio fath â rhwbath allan o *Star Trek*,' meddai Carys Wyn.

Llwyddodd Gwenno i wenu. 'Mi faswn i wrth 'y modd 'tasa hi'n stori felly, coelia di fi.'

'Pa mor sicr ydi rhyw betha fel 'na?' holodd Carys.

'Ma'n nhw'n o agos i'w lle.' Ochneidiodd Gwenno, a thaflodd garreg i'r dŵr.

'Ond ma'n nhw'n gallu methu weithia? Dw i'n siŵr 'mod i wedi darllan yn rhwla bod positif ddim yn golygu hynny bob tro, 'i fod o'n gallu golygu negatif weithia, ond ddim fel arall . . . '

'Na. O, yndi, ma' hynny'n wir, dw i'n meddwl, ond ddim tro 'ma. Na, mae o'n llygad 'i le, Carys. Dw i'n gwbod hynny.'

Edrychodd Carys Wyn arni'n fud, rhywbeth tebyg i barchus ofn yn ei llygaid. Teimlai Gwenno flynyddoedd yn hŷn na'i ffrind, fel petai wedi heneiddio ddeng mlynedd dros nos, bron. Gwyddai fod Carys yn ysu am ofyn *y* cwestiwn; bu'n ei gwylio'n ymladd efo rhifyddeg pen oddi ar i Gwenno ddweud y newyddion drwg o lawenydd bach wrthi.

Eisteddai'r ddwy ar wal fechan y Cob Crwn gan wynebu'r Llyn Bach, y Traeth Mawr y tu ôl iddynt. Roedd y dŵr yn uchel ac aflonydd, gydag ambell don fechan yn rhoi sws glec wlyb i'r glannau a deuai heulwen lipa i bipian yn ymddiheurol bob hyn a hyn o'r tu ôl i'r cymylau.

'Ond fedri di ddim bod yn siŵr, gant y cant, nes iti fynd i weld doctor, yn na fedri?' meddai Carys ar ôl tipyn.

'O, waeth iti heb, Carys. Dw i 'di deud yr un petha wrtha i'n hun filoedd o weithia nes 'u bod nhw 'di colli pob ystyr. Dw i ddim angan 'run doctor i ddeud wrtha i be dw i'n 'i wbod yn iawn yn barod. Do'n i ddim angan y peth *Discover 2* 'na chwaith, o sbio'n ôl. Rhyw welltyn ola oedd hwnnw, rhag ofn, trwy ryw ffliwc, y basa fo'n deud negatif.'

'Wel, os wyt ti'n siŵr, Gwenno . . . '

'Yndw. Dyna dw i'n drio'i ddeud wrtha chdi.'

'Be wnei di rŵan, 'ta?'

'Dw i'm yn gwbod, yn nac dw? Pam—be 'sa chdi'n neud?'

'Arglwydd, dwn i'm! Paid â gofyn i mi.'

Doedd hi ddim yn gynnes iawn yno ar y Cob Crwn. Chwythai awel fain dros y Traeth gan gribo wyneb y Llyn Bach, ac eisteddai Carys fel iâr yn ei phlu.

Cododd Gwenno gan gamu ymlaen ychydig oddi wrthi. Yn sydyn teimlai'n flin ac yn ddiamynedd tuag at Carys. Y hi oedd yr un wybodus am bethau fel hyn—i fod. Broliai'n aml am ei phrofiadau carwriaethol; ble'r oedd yr holl ddoethineb rŵan, ffrwyth y profiadau mawr i gyd?

Ni fu Carys erioed yn brin o gariadon. Roedd yn dal ac yn lluniaidd, efo gwallt melyn naturiol wedi'i steilio'n wyllt fel gwallt Carol Dekker o'r grŵp T'Pau. Dydi pethau ddim yn deg o gwbl! meddyliodd Gwenno. Sut mae hon—sy wastad wedi cael marciau llawer iawn is na fi yn yr ysgol—wedi llwyddo i fod mor glyfar ar hyd yr amser, gan osgoi hen bicil fel hyn? A sut, mewn difrif calon, y llwyddais i i fod mor ddwl—unwaith?

Edrychai Carys yn anghysurus o oer, yn plygu'n ddwbwl, bron, wrth geisio tanio sigarét arall yn erbyn y gwynt, a theimlodd Gwenno ychydig o gywilydd am ei meddyliau. Nid oedd Carys wedi gofyn yr un o'r cwestiynau y gwyddai Gwenno oedd yn dawnsio'n ddiamynedd ar flaen ei thafod. Doedd Gwenno hithau ddim wedi sôn wrthi hi nag wrth neb arall am y noson ofnadwy honno yn nisgo'r Queens, felly doedd bosib fod gan Carys druan yr un syniad o'r hyn a ddigwyddodd ar ddiwedd y noson.

Llwyddodd Carys o'r diwedd i danio'i sigarét ac ymsythodd. Gwelodd Gwenno'n syllu arni.

'O leia dwyt ti ddim yn smocio,' meddai. 'Meddylia— mi fasa chdi'n gorfod rhoi'r gora iddi rŵan.'

Syllodd Gwenno arni fel llo am eiliad, yna dechreuodd chwerthin. Chwarddodd Carys gyda hi'n ansicr, ond parhaodd Gwenno i chwerthin nes bod ei hystlys yn brifo a'r dagrau'n powlio i lawr ei hwyneb, a gorfu iddi eistedd ar y wal yn ei hôl.

Roedd Carys wedi hen beidio â chwerthin, ac edrychodd arni mewn braw.

'Gwenno—wyt ti'n iawn?'

Ceisiodd Gwenno sobri. 'Sori, Carys . . . ond . . . ' Daeth pwl arall o chwerthin drosti. 'Pam fedar pawb ddim bod fath â chdi? 'Tasa Mam ond yn deud be 'ti newydd ddeud rŵan . . . ' Diflannodd y chwerthin cyn gynted ag y meddyliodd am ei mam. 'Bydd raid i mi ddeud pob dim wrthi hi, 'sti. Ma' hi'n siŵr o ofyn pob cwestiwn dan haul. Ma' hi'n ama lot yn barod. Dw i'n gwbod 'i bod hi. Wedyn, mi ddudith hi wrth Dad, ac mi eith hwnnw'n hollol bysyrc. Wneith o hannar fy lladd i. Ac mi laddith o . . . ' Troes i wynebu Carys. 'Dwyt ti ddim wedi holi llawar, chwara teg i chdi.'

Gwenodd Carys yn dawel. 'Dw i'n teimlo'n reit onyrd fel ma' hi. Y fi ydi'r gynta i ga'l gwbod gen ti'n dê?'

'Ia. Roedd yn rhaid i mi ddeud wrth rhywun, Carys.'

'Oedd, siŵr. A dw i'n gwbod y basa chdi'n deud bob dim wrtha i 'tasa chdi'n barod i neud hynny.'

'Diolch, Carys.' Gwasgodd Gwenno law Carys.

'Os mêts, mêts, 'ndê?' meddai Carys. 'Mi geith mêts ddeud pob dim wrth 'i gilydd, 'sti. *No appointment necessary.*'

'Wn i. A dw i'n gobeithio y basa chditha'n gwbod hynny hefyd, 'tasa chdi 'di gneud smonach o betha.'

Cofleidiodd y ddwy.

'Cofia rŵan, Gwen—unrhyw dro wyt ti isio siarad.'

'Wn i.'

'Faswn i byth yn sôn 'run gair wrth neb, 'sti.'

'Na fasat, dw i'n gwbod.'

Eisteddodd y ddwy'n ddistaw am ychydig. Yna meddai Carys Wyn yn araf, 'Dw i'n cymryd nad Arwel Ellis oedd o . . . ?'

* * * * * *

Tra cerddai adref o'r Llong, cafodd Mici gipolwg ar Carol yn gwthio pram Kelvin i mewn drwy ddrysau Woolworth's. Dyma gyfle iawn iddo logi ffilm fideo, sylweddolodd; go brin y byddai Len yn siglo'n ôl o'r Legion am sbelan go lew eto.

Gyda chopi o *Hellraiser II* dan ei gesail, cyrhaeddodd adref i weld car dieithr, hen Ford Capri du, wedi'i barcio y tu allan i'r tŷ. Bu bron iddo â neidio allan o'i esgidiau pan ganodd corn y car dôn 'Colonel Bogie' yn uchel dros y stryd wrth iddo'i basio.

Troes Mici'n flin, ond gwelodd ben coch cyfarwydd yn chwerthin fel udfil arno o'r tu mewn i'r car.

Agorodd Tomi Goch y drws. 'Henffych, Mihangel.'

'Henffych, Tomos. Be 'ti'n drio neud—fy lladd i? Lle gest ti afa'l ar yr hers yma?'

'Hers, o ddiawl. Un dda ydi hi'n dê?' Benywaidd oedd pob un car i Tomi Goch. 'Tyrd am sit down bach ynddi hi.'

Caeodd Tomi ei ddrws ef a gwyrodd dros y sedd flaen i agor un Mici. Ochneidiodd hwnnw, a rhegodd dan ei wên ddannedd-gosod wrth gerdded heibio i drwyn y Capri. Be oedd ar Tomi Goch ei isio eto fyth? Roedd Mici wedi cael blas ar *Hellraiser I*, ac ar dân eisiau gwledda ar y nesaf o'r gyfres. Gweddïodd nad oedd Tomi wedi bod yn ei slochian hi, neu mi fyddai'n seiat go hir.

Ond doedd dim sawr diod yn y car pan eisteddodd wrth ochr Tomi. Ceisiodd edrych yn weddol gall wrth i hwnnw fynd i stêm fawr am holl rinweddau mecanyddol y Capri. Nid oedd Mici, wrth reswm, yn berchen ar gar: nid oedd yn debygol o fod, chwaith, am flynyddoedd lawer, felly ychydig iawn o ddiddordeb oedd ganddo. Siaradai Tomi Goch am y Capri, fodd bynnag, fel petai'n disgrifio merch yr oedd dros ei ben a'i glustiau mewn cariad efo hi. Roedd y dyn fwy na heb yn glafoerio.

'Na, dydi hi ddim yn ''Pink Cadillac'' ella,' gorffennodd Tomi, gan bwnio Mici'n boenus yn ei ystlys i danlinellu'i gyfeiriad at un o ganeuon Bruce Springsteen, 'ond mi wneith hi'r tro'n iawn tan ga i afa'l ar un o'r rheini.'

'Go brin y cei di un yn 'Stiniog,' meddai Mici.

'O, mi fasa chdi'n synnu. Ma' 'na foi o dopia Nebo sy'n dreifio o gwmpas y lle mewn hen Chevrolet.' Gwenodd Tomi, yna sobrodd. 'Dywad i mi, Mici—sut ma' Hi?'

Gwyddai Mici o'r cychwyn fod y cwestiwn hwn am ddod. Roedd Tomi'n dal i sôn am Carol fel petai ei gyngariad yn dduwies.

'Ma' hi'n iawn—yn tsampion,' atebodd Mici, yna ychwanegodd gydag ysbrydoliaeth sydyn, 'Dydi hi ddim i mewn rŵan. Welis i hi'n mynd ar negas gynna. Newydd fynd allan roedd hi—mi fydd hi allan am oria, 'sti Tomi.'

'A'r hen ddyn bach—sud mae o?'

Diawledig! oedd yr ansoddair cyntaf ddaeth i Mici, ond gwyddai mai doeth fyddai iddo ddethol ei eiriau'n ofalus wrth drafod Kelvin efo Tomi.

'Mae o'n rêl boi,' meddai. 'Gweiddi'r lle i lawr ddydd a nos, 'y ngwas i. Roeddet ti'n iawn, Tomi—dw i'n siŵr mai pregethwr fydd o un diwrnod.'

'Ia, pregethwr. Y Parchedig Kelvin . . . Edwards,' gwenodd Tomi, gan roi'i gyfenw'i hun i'r baban. 'Swnio'n dda'n barod, yn dydi? Cyn bellad ag y bydd o ddim yn rhy dduwiol, yndê, fath â'r hen betha sych 'ma sy o gwmpas y lle.' Gwenodd Tomi fel giât. 'Ydi o'n dechra edrach fath â fi?' gofynnodd.

Pwyll rŵan, Mici Jones. Iddo ef, pethau hyll ar y naw oedd babis; heblaw am absenoldeb y sigâr, roedd o'n eu cael nhw i gyd yn hynod o debyg i Winston Churchill.

'Fedra i ddim sbio arno fo heb feddwl amdana chdi,' meddai'n ofalus.

Ond doedd hyn ddim yn ddigon i Tomi. ''Sgynno fo wallt coch fath â fi, bellach?'

Meddyliodd Mici am yr haen denau honno oedd ar gorun Kelvin. 'Wel—ma' 'na rywfaint yn dechra dŵad, dw i ddim yn ama.'

Amneidiodd Tomi'i ben yn araf, ei wên os rhywbeth yn lletach.

'Dw i'n gwbod 'i bod Hi'n fam fach dda iddo fo,' meddai. Ma' hi wedi stopio mynd allan gyda'r nos, yn dydi? Dw i wedi bod yn ca'l sgowt o gwmpas Port 'ma bob hyn a hyn, 'sti—a dw i wedi siarsio'r genod erill 'na i beidio â thrio'i denu hi allan drwy'r amsar.'

Arglwydd mawr! meddyliodd Mici. Mi fasa Carol yn ca'l ffitia 'tasa hi'n gwbod hynny.

Gwyrodd Tomi ymlaen a phwysodd fotwm y chwaraeydd casét. 'Shisht am funud bach rŵan, Mici,' rhybuddiodd.

Llanwyd y Capri efo llais Bruce Springsteen yn canu 'My Hometown'.

> *I'm thirty-five, we got a boy of our own now,*
> *Last night I sat him up behind the wheel*
> *And said, 'Son, take a good look around—*
> *This is your hometown.'*

'Na—cheith yr hen ddyn bach ddim gwell mam yn nunlla,' meddai Tomi'n dawel. Clywodd Mici rywbeth yn ei lais a throes i edrych arno'n gyflym.

Roedd dagrau anferth yn llifo i lawr wyneb Tomi
Goch, a'i geg yn troi i lawr fel ceg clown. 'Na—paid â
sbio arna i!' ebychodd yn ffyrnig a throes Mici ei ben
oddi wrtho'n syth bin.

Dechreuodd Tomi igian efo'r ymdrech i gadw'r
dagrau i mewn ond aeth yr ymdrech yn drech nag ef.
Caeodd ei lygaid yn dynn a gwthio'i gorff yn ôl yn erbyn
ei sedd fel petai am iddi'i sugno i mewn i'w phlastig.
Bodlonodd ar guddio'i wyneb yn ei ddwylo anferth tra
wylai'n rhydd, ei sŵn yn boddi'r gerddoriaeth a'i gar ail-
law newydd yn siglo o ochr i ochr.

Syllodd Mici'n syth o'i flaen, heb fod yn siŵr iawn
beth i'w wneud na'i ddweud. Roedd wedi bod yn dyst i
ddagrau Tomi ar fwy nag un achlysur—onid oedd y
stryd i gyd, fwy neu lai? Ond roedd Tomi'n chwil ulw
gaib bryd hynny. Roedd hyn yn beth gwahanol, a
brawychus. Roedd Tomi heb gael yr un tropyn i'w
yfed heddiw.

'Ynda . . . ' Plygodd Tomi'n sydyn a chododd barsel
bychan o'r llawr dan ei sedd a'i wthio i ddwylo Mici.
'Rho hwn i'r hen ddyn bach. 'Mond rhwbath bach ydi o—
gan 'i dad. Siawns na wneith Hi gega am rwbath mor
fach . . . ' Achosodd yr araith fer hon ddilyw arall o
ddagrau a diflannodd Tomi eilwaith y tu ôl i'w ddwylo.

Roedd papur y parsel wedi dod yn rhydd ac agorodd
Mici ef yn llawn. Edrychodd yn hurt ar y tedi bêr bychan
ar ei lin, un gwyn fel alarch, efo bwa bach coch am ei
wddf blewog a gwên fach ddiniwed ar ei wyneb.

'Paid â'i faeddu o, hogyn!' Cipiodd Tomi'r tedi'n ôl
gan ei ddal yn dyner, fel babi, yn ei ddwylo mawrion.
Lapiodd y papur amdano eto cyn ei roi'n ôl i Mici. 'Mae o
gen i ers misoedd, ond 'y mod i ddim yn licio . . . do'n i
ddim isio . . . ysti . . . achosi has'l yma eto trwy ddŵad â
fo . . . ' Aeth rhyw gryndod enfawr trwy'i gorff. 'Yli—
well imi'i ffaglu hi o'ma. Dw i'm isio iddi Hi 'ngweld i.'

Chwythodd ei drwyn yn swnllyd. 'Sori, Mihangel.'
Ceisiodd wenu ar Mici, ei lygaid yn gochach na'i wallt.
'Diolch i chdi, boi.'

Agorodd Mici ddrws y car, yna arhosodd. 'Tomi . . . ?'

Edrychodd Tomi arno, ond roedd popeth roedd Mici
am ei ddweud eiliad ynghynt wedi diflannu i rywle.
Ysgydwodd ei ben a brysiodd allan o'r car.

Taniodd Tomi Goch beiriant y Capri a heb edrych yn ôl
ar Mici gyrrodd i ffwrdd yn wyllt.

Datododd Mici'r papur eto. Cododd y tedi bach
gwirion i'w ffroenau a synhwyrodd ei arogl newydd,
arbennig. Gwasgodd ef yn ffyrnig am un eiliad, yna
rhoes y papur yn ei ôl rywsut-rywsut cyn troi a mynd i
mewn i'r tŷ.

* * * * * *

'Gwranda—gad i mi ddŵad efo chdi.'

'Na—wir. Mi fydda i'n iawn, 'sti.'

'Wyt ti'n siŵr?'

'Nac dw . . . '

'Mi eith y ddwy ohonan ni, ta. Tyrd.'

Cychwynnodd Carys, ond gafaelodd Gwenno yn ei
braich a'i rhwystro. 'Na, paid, Carys. Diolch, 'ndê,
ond . . . well i mi fynd ar 'y mhen fy hun, yli.' Ochneidiodd
Carys. 'A phaid â sbio arna i fel 'na. Dw i 'di cychwyn
dair gwaith yn barod.'

'Yn hollol . . . '

'A' i i nunlla tra 'dan ni'n dadla yn y fan 'ma. A rhaid i
mi fynd rywbryd.'

'Bydd, dw i'n gwbod. Ond . . . paid â deud dim byd os
na fydd raid.'

'Wna i ddim.'

Edrychodd y ddwy eneth ar ei gilydd. Roeddynt yn
sefyll y tu allan i'r Swyddfa Bost, eu man gwahanu
arferol, gan fod Carys yn byw hanner ffordd i fyny rhiw

Borth-y-gest.

'Rwyt ti wedi penderfynu'n do, Gwen?' meddai Carys.

Nodiodd Gwenno. 'Dw i'n meddwl. Ddaru siarad efo chdi helpu dipyn go lew. Dydi wynebu Mam ddim yn edrach mor anodd rŵan, rywsut.'

'Ddudi di wrthi hi pwy . . . ?'

'Na!' O hyn, roedd Gwenno'n benderfynol. 'Byth, Carys. Does neb am ga'l gwbod—byth!'

Er gwaethaf ei geiriau dewr, fodd bynnag, cymhelliad cyntaf Gwenno ar ôl ffarwelio efo Carys oedd rhoi cymaint o filltiroedd ag oedd bosibl rhyngddi hi a'i char-tref. Ond i ble'r âi? Pan oedd yn hogan fach, rhedeg at Nain a wnâi pan fyddai rhyw helynt yn ei haros gartref. Ond roedd ei nain wedi marw ers blynyddoedd, bellach; hyd yn oed petai'n fyw, gwyddai Gwenno na allai redeg ati efo'r broblem arbennig hon.

Beth fyddai diben ffoi, p'run bynnag? Fedri di ddim dianc rhag y ffeithiau, Gwenno fach, fe'i hatgoffodd ei hun. Mae'r rheini'n rhan ohonot ti, fel y tyfiant y tu mewn i dy fol sy'n chwyddo'n fwy bob dydd rwyt ti'n ei wastraffu'n trio cymryd arnat ei fod o ddim yno. Cyn bo hir, byddai'i bol yn sgrechian y gwirionedd i'r byd a'r betws; y peth gorau i'w wneud fyddai achub y blaen arno.

Cerddodd Gwenno trwy'r Stryd Fawr gan ddychmygu llygaid pawb arni, pob un yn medru gweld yn glir trwy'i dillad a'i chnawd ac i mewn i'w chroth, a phob un wedyn yn troi eu pennau i ffwrdd oddi wrthi a dweud:

'Hen slwtan fach fudur! Dyna rwyt ti'n ei gael am fod mor barod i agor dy freichiau i'r hogyn cyntaf sy'n dy ddal ar eiliad wan. Ac roeddat ti'n methu disgwyl i agor dy hen goesau iddo fo chwaith, yn nag oeddat? Rwyt ti'n afiach, y gnawas fach fudur! Hwch! Slwt! Putan! Hen hŵr! Hen hŵr! Hen hŵr—!'

Teimlodd Gwenno'r dagrau'n rhuthro'n ôl i'w llygaid,

a daeth lwmpyn anferth i'w gwddf. Dechreuodd redeg, yn ddall i'r bobl a oedd yn troi i edrych arni'n chwilfrydig, a'i meddwl yn wag o bopeth heblaw am 'Dw i isio Mam! Dw i isio Mam! Dw i isio Mam!'

PEN TENNYN

Cyn iddi orffen troi'r goriad yn y clo, clywodd lais yn galw'i henw'n ffugawdurdodol.

'Gwenno Lloyd! Be 'dach chi'n neud?'

Troes efo hanner sgrech i weld ei thad yn cerdded tuag ati yn ei ddillad gwaith ac yn wên o glust i glust. Teimlodd Gwenno'r siom yn codi fel cyfog y tu mewn iddi. Buasai wedi rhoi unrhyw beth am gael ei mam iddi'i hun y funud honno.

'Ddychrynaist ti, 'rhen hogan? Rhaid bod dy gydwybod di'n dy bigo'n o arw,' chwarddodd Ieuan. 'Tyrd yn dy flaen—agora'r drws 'ma i ni ga'l mynd i mewn.'

Estynnodd ei fraich dros ysgwydd Gwenno i agor y drws. Llanwyd ei ffroenau am eiliad efo arogl olew a saim ceir; arogl cyfarwydd, cartrefol, a bu bron iawn iddi â neidio i gofleidio'i wddf, fel yr arferai ei groesawu adref o'r garej bob dydd am flynyddoedd—cyn iddi benderfynu bod dillad ei thad yn rhy fudr a drewllyd i foneddiges ifanc fel hi.

Camodd Ieuan yn ei ôl. 'Baw o flaen y brwsh,' meddai.

Ateb arferol Glenda i hyn oedd *'Pearls before swine'*, ond doedd Gwenno ddim yn teimlo fel dyfynnu ei mam. 'Diolch,' meddai'n ddigon swta, ac aeth i mewn i'r tŷ. Gwibiodd Gwion tuag atynt, gan ei hanwybyddu hi'n llwyr ac anelu'n syth am ei dad.

'Dydach chi ddim isio bàth, yn nag 'dach, Dad? 'Sgynnoch chi ddim amsar i ga'l un, ddim i ga'l bàth a chinio!'

'Ro'n i wedi rhyw feddwl piciad i Fangor, i nofio yn y pwll 'na sgynnyn nhw . . . '

'Paid â thynnu ar yr hogyn, Ieuan.' Daeth Glenda atynt o'r gegin. Gwenodd ar ei gŵr, yna troes i edrych ar Gwenno. 'I ble'r est ti amsar cinio? Ma' dy fwyd di wedi difetha.'

Doedd Gwenno ddim yn medru edrych yn llawn ar ei mam. Canolbwyntiodd ar dynnu'i chôt a'i hongian ar un o'r pegiau y tu mewn i'r drws.

'Ges i frechdan efo Carys yng Nghaffi New Street.'

'Ond be am dy ginio di? Mi fasa chdi wedi gallu deud wrtha i, Gwenno—dyna'r peth lleia fasa chdi wedi gallu'i neud.'

'Sori . . . wnes i'm meddwl . . . '

'Naddo, ma'n amlwg,' meddai Ieuan. 'Chydig iawn o hynny 'ti'n neud yn ddiweddar, os 'ti'n gofyn i mi.'

'Dw i ddim yn gofyn i chi, yn nac dw?'

'A dyna ddigon o'r *cheek* 'ma! Argol fawr—ydi hi'n bosib i mi ddŵad adra unwaith heb orfod ca'l rhyw hen ffrae efo chdi?'

'Mi faswn inna'n licio dŵad adra unwaith hefyd, heb 'ych ca'l chi'ch dau'n pigo arna i man dw i'n rhoi 'nhroed dros y rhiniog!'

'Ddim pigo arna chdi ydan ni, siŵr,' ochneidiodd Glenda.

'Do's 'na ddim byd dw i'n neud yn iawn . . . ' Clywodd Gwenno'r cryndod yn ei llais ei hun, a chychwynnodd i fyny'r grisiau.

'Lle 'ti'n feddwl 'ti'n mynd rŵan?' gwaeddodd Ieuan ar ei hôl.

'I biso! Ydi hynny'n iawn?'

Aeth wyneb Ieuan yn goch a chychwynnodd yntau am y grisiau, ond rhwystrodd Glenda ef. 'Tyrd, ne mi fydd hi'n ffwl teim cyn ichi gyrraedd y Traeth 'na.'

Dangosodd Ieuan ei ddwylo duon iddi. 'Rhaid i minna ga'l molchiad cyn bwyta, yn bydd?'

'Gei di folchi yn y sinc yn y gegin. Ma' 'na sebon yn fan'no hefyd.'

'Ma' hi'n hen bryd i'r hen fadam fach 'na ddysgu na cheith hi ddim siarad fel 'na efo ni . . .'

'Mi ga i air efo Gwenno ar ôl i chdi a Gwion fynd i'r gêm 'na. Ma' hi'n amsar i ni'n dwy gael sgwrs.' Pwysleisiodd Glenda'r 'dwy', a chredodd Ieuan iddo ddeall. Gwnaeth siâp 'O' hefo'i geg cyn troi at Gwion.

'Ma' 'na fyd efo'r merchad 'ma, Gwion bach. Rydan ni'r dynion yn dipyn haws 'yn trin, yn dydan ni?'

'Yndan, Dad.' Nodiodd Gwion, yr un mor ddoeth â'i dad.

* * * * * *

And so she woke up
From where she was lying still,
Said, we got to do something
About where we're going.
Step on a steam train,
Step out of the driving rain,
Maybe run from the darkness in the night,
Singing Ha La La La De Day . . .

Diffoddodd Gwenno'i pheiriant Walkman a'i dynnu'n ddiamynedd. Am unwaith, doedd cerddoriaeth U2 ddim yn ddigon ac roedd llais Bono a nodau gitâr unigryw The Edge wedi methu'n lân â'i swyno.

Cododd oddi ar ei gwely a syllodd allan drwy'r ffenestr. Ystafell gefn oedd ei hun hi, a safodd am ychydig yn gwylio'r ddynes drws nesaf oedd wedi penderfynu ymddiried ychydig yn yr haul cyndyn a thaenu dillad ar ei lein. Gwnâi hynny â'i meddwl yn amlwg ymhell yn rhywle; roedd gwên fechan ar ei hwyneb wrth iddi begio'r dillad gwlybion mewn un rhes filwrol, dwt.

Trodd Gwenno o'r ffenestr a dychwelyd i orwedd ar ei gwely. Ar y mur gyferbyn â hi roedd poster anferth o'r canwr pop Billy Idol, hwnnw'n domen o chwys a gwythiennau'i wddf fel rhaffau wrth iddo sgrechian i mewn i'w feicroffon. Ar y bwrdd corcyn a osododd Ieuan iddi ar bared ei gwely roedd casgliad lliwgar o luniau amrywiol; teyrnasai U2 o ganol y bwrdd, gyda chantorion pop fel George Michael a Jim Kerr, actorion ffilm fel Tom Cruise a Michael J. Fox, a sêr nes-at-adref fel Bryn Fôn, Huw Chiswell ac Owain Gwilym o'u cwmpas. Safai desg fechan yn y ffenestr, honno'n anialwch o dapiau casét, llyfrau ysgol, papurau, newid mân a phacedi Polo ar eu hanner.

Cododd ar ei heistedd, gan syllu arni'i hun yn nrych hir y cwpwrdd dillad. Mae genod beichiog i fod i edrach yn dlws, Gwenno, meddai wrth ei llun; lle wnest ti golli dy ffordd? Rwyt ti'n edrach fel drychiolaeth, hogan, efo dy wep welw a'th wallt llipa.

Cododd i gau'r llenni, yna tynnodd ei siwmper a'i chrys-T a'i bronglwm gan sefyll â'i hochr yn wynebu'r drych. Roedd ei bol mor wastad ag y bu erioed, hyd y gallai weld. Troes i wynebu'r drych yn llawn. Oedd ei bronnau wedi llenwi ychydig—ynteu dychmygu'r oedd hi? Pwysodd hwy'n ofalus yn ei chledrau. Doedden nhw ddim yn teimlo'n wahanol . . . yna caeodd ei breichiau drostynt yn amddiffynnol. Daeth atgof sydyn a ffiaidd i'w meddwl, atgof am ddwylo eraill, estron, budron yn gwasgu a phinsio'r cnawd tyner.

Gwisgodd yn frysiog ac ail afael yn ei Walkman, cyn ei ollwng yn ôl ar y gwely drachefn. Clywodd ei thad yn chwerthin o'r gegin odani. Pam, o pam, na fuasai wedi aros yn ei hen garej drwy'r dydd? Teimlai Gwenno'n fwy o alltud nag erioed. O, na fuasai ganddi chwaer fawr! Rhywun y gallai siarad efo hi, rhywun i ymddiried ynddi, rhywun â chlust a chydymdeimlad. Buasai hyd yn oed brawd hŷn yn well na'r hyn oedd ganddi, ond o ran cwmni a chyfeillgarwch roedd Gwion druan yn dda i ddim ar y foment.

Ochneidiodd yn dawel, gan deimlo fel sgrechian yn uchel. Ai peth fel hyn oedd carchar, tybed? Fis ynghynt, pan oedd bywyd yn normal—ond mis? Duw Mawr!— darllenodd Gwenno lyfr Angharad Tomos, *Yma o Hyd*, llyfr a groniclai brofiadau'r awdures tra bu yng ngharchar dros yr Iaith. Llanwyd hi ag edmygedd tuag at Angharad, ac ar yr un pryd addawodd iddi'i hun na fyddai hi byth— *byth*, tra byddai byw—yn gwneud unrhyw beth a ddeuai â hi'n agos at orfod profi'r un hunllefau.

A dyma chdi, sibrydodd ei llais bach mewnol yn faleisus, yma ar dy ben dy hun yn dy garchar bach clyd; rwyt ti wedi dy ddedfrydu dy hun noson ar ôl noson i oriau di-ben-draw o *solitary confinement*, yn do?

Ond roedd hynny bron iawn ar ben. Gwyddai Gwenno hynny'n iawn—er iddi deimlo fel carcharor oedd ag awr ei dienyddiad yn prysur nesáu. Roedd y sicrwydd yn wyneb ei mam yn tyfu'n feunyddiol. Debyg iawn ei bod hi'n gwybod, rhesymodd Gwenno, a hithau'n ddynes, ac wedi bod trwy'r un peth ei hun . . .

O, nac ydi hi, tad! bloeddiodd y llais. Sut galli di ddeud bod dy fam wedi profi'r hyn rwyt ti'n ei brofi, Gwenno Lloyd? Bu Glenda a Ieuan yn briod am ddwy flynedd cyn i ti ymbalfalu i olau dydd, hogan. Nid dau ddieithryn hanner-meddw'n rhannu hen brofiad sticlyd yn erbyn wal gefn tŷ tafarn oedd dy fam a'th dad. Mi brofon nhw bedwar mis ar hugain o ramant a phleser cyn i chdi lan-dio yn yr hen fyd yma, 'ngeneth i.

Troes Gwenno ar ei hochr, ond nid oedd iddi loches rhag y llais. Aeth yn ei flaen yn ddidrugaredd.

Go brin fod Glenda wedi difaru'r weithred bron cyn iddi gychwyn yn iawn, efo'i chefn yn brifo wrth i'r corff arall hwnnw ei gwasgu'n galed yn erbyn rhyw hen wal fudr—poen a oedd yn benderfynol o aros wedi i'r boen wahanol, bigog a chwim honno rhwng eu chluniau hen ddiflannu.

A daeth y llais a'r aroglau'n ôl iddi, yr atgofion cyntaf i lamu i'w meddwl bob tro y caniatâi i'r nos Wener uffernol honno fflachio fel ffilm arswyd yn ei phen. Aroglau hen faco a chwrw sur a denim gwlyb yn llifo drosti fel dŵr golchi llestri budr a hithau'n gwingo'n erbyn wal gefn y Queens Hotel fel gwyfyn ar bin.

O, roedd yn brofiad hyll, yn hyll—roedd popeth mor ddiawledig o hyll; y synau cyntefig, hynafol; caledi ei gnawd ef yn ymwthio'n giaidd i'w thynerwch cyfrin hi; yr olwg lac ddaeth dros ei wyneb; yr hen aroglau codipwys rheini; blas metalaidd ei hofn yn ei cheg.

Fe ddaeth ei dagrau'n rhy hwyr, i ofer geisio golchi'r cyfan i ffwrdd; dagrau o boen wrth iddo'i thrywanu, wrth i'w fysedd grancu dros ei bronnau; dagrau chwerw, am ei bod hi'n rhy hwyr o lawer i feddwl, hyd yn oed, am ddweud 'na'; dagrau o siom am iddi fethu dod o hyd i'r rhith lleiaf o'r pleser gwyllt hwnnw y clywodd ac y darllenodd gymaint amdano.

Myth ydi'r cyfan, Gwenno fach, Gwenno fach hurt, wirion, naïf, ddiniwed. Hen chwedl wag, stori dylwyth teg . . .

A waeth iti heb â thrio dy berswadio dy hun mai'i fai o oedd y cyfan, chwaith, ategodd y llais. Roeddet ti'n fwy na pharod i fynd i gefn y dafarn efo fo—a thithau ddim i fod y tu mewn iddi'n y lle cyntaf. A waeth iti heb â beio'r alcohol. Efallai nad oeddet ti'n hollol sobor, ond doeddet ti ddim yn rhy feddw i beidio â gwybod yn iawn beth oedd ar fin digwydd. Roeddet ti wedi bod yn llygadu'r hogyn hwnnw oddi ar iddo gerdded i mewn i'r lle, a fo oedd yr un y bu gen ti'r crýsh mwyaf ofnadwy arno fo oddi ar dy ail flwyddyn yn yr ysgol. Roeddet ti bron â marw isio mynd allan efo fo erstalwm. Wel, dyna ti, fe gest ti dy gyfle'n do? A daeth dy freuddwyd yn wir o'r diwedd—ond iddo rwygo'r mwgwd i ffwrdd a dangos mai breuddwyd cas oedd o drwy'r amser . . .

Bron heb iddi sylweddoli gwneud hynny, cododd yn wyllt o'r gwely ac agorodd ddrôr uchaf ei chist-ddroriau. Yno, yn gorwedd ar wely o ddillad isaf, roedd blwch glas a gwyn a fu'n rhan hanfodol o'i bywyd ers blynyddoedd. Tynnodd ef allan a'i ollwng yn ddiseremoni i mewn i'w bin ysbwriel.

Yna gorweddodd yn ôl ar ei gwely i aros.

* * * * * *

Gwyddai Glenda mai tynnu ar Gwion roedd Ieuan trwy gymryd arno nad oedd am fynd i wylio'r gêm bêl-droed, ond teimlai fod ei gŵr yn gwneud ati i'w gwylltio hi hefyd. Bu Gwion yntau'n aflonydd fel wimblad tra oedd ei dad yn bwyta'i ginio, yn amlwg yn ysu am gael tywallt cynnwys y plât i lawr corn gwddf Ieuan.

'Reit—dw i'n meddwl yr a' i i'r lle chwech,' cyhoeddodd hwnnw ar ôl gorffen o'r diwedd. Roedd y weithred hon fel arfer yn un go hir, oherwydd hoffai Ieuan fynd â'r *Daily Post* yn gwmni iddo i'r toiled bob gafael.

Doedd Glenda ddim yn gallu ei hatal ei hun rhag cyfarth arno. 'Actia dy oed, ddyn, yn lle seis dy sgidia!' meddai, gan ddifaru'r geiriau'n syth.

Edrychodd Ieuan arni. 'Rydach chi'n flin iawn, Musys.'

'Mi fasa chditha'n flin hefyd, 'tasa'r hogyn 'ma wedi bod yn swnian arna chdi drwy'r bora.' Ceisiodd wenu wrth fynd â'r llestri budron i'r sinc. 'Doswch o dan draed, wir, cyn imi roi ffon ar gefna'r ddau ohonoch chi.'

'Tyrd, Gwion, cyn iddi hi fynd ar y warpath go iawn.' Cyn gadael, cusanodd Ieuan hi. 'Wyt ti'n teimlo'n iawn, Glend?'

'Rhyw natur cur pen. Mi fydda i'n iawn ar ôl cymryd dwy Anadin.'

Dechreuodd ei cheryddu'i hun cyn gynted ag y

gadawodd Ieuan a Gwion hi. Dylet ti fod wedi siarad efo dy ŵr cyn hyn, Glenda Lloyd; mae pâr priod i fod i rannu popeth, y melys a'r chwerw, yr amheuon a'r ofnau—popeth.

Fedra i ddim tan y bydda i'n siŵr . . .

Rwyt ti *yn* siŵr.

Nag ydw, ddim yn hollol . . .

Pam wyt ti mor gyndyn o wynebu Gwenno, felly? Pam wyt ti'n gwastraffu dy gyfle trwy olchi llestri sy'n lân ers meitin? Am dy fod di'n gwybod yn iawn beth sy'n dy ddisgwyl di i fyny'r grisiau 'na, dyna pam.

Pam na fasa Gwenno wedi dŵad ata i? holodd. Pam y mae'n rhaid i mi fynd ati hi?

Ond aeth y llais yn fud. Sychodd Glenda'i dwylo ar y lliain llestri a gadawodd y gegin.

Oedodd wrth droed y grisiau, gan glustfeinio. Doedd dim sŵn yn dod o ystafell ei merch, yr un siw na miw. Teimlodd dawelwch y ty'n cau amdani fel niwl wrth iddi ddechrau dringo'r grisiau, ei cheg yn sych fel petai newydd gnoi blawd a'i stumog yn troi a throsi fel dilledyn mewn peiriant golchi.

'Mond Gwenno sy 'na, ceisiodd ei chalonogi'i hun, 'mond fy hogan fach i, nid rhyw anghenfil neu fwgan dychrynllyd . . .

Yna bu bron iawn iddi â neidio drwy'r to pan ganodd cloch y drws y tu ôl iddi.

Troes fel mellten, yn wyllt gacwn efo canwr y gloch, a chan yngan rhegfeydd y buasai'n hanner lladd ei phlant petai'n eu clywed yn eu llefaru. Trwy wydr y drws gallai weld siâp cyfarwydd Dilys Parry, ei ffrind ers dyddiau'r ysgol, yn sefyll y tu allan. Be ddiawl oedd ar hon ei isio rŵan? melltithiodd Glenda. Un am hel tai y bu Dilys erioed; y Gwcw oedd enw Ieuan arni, oherwydd treuliai fwy o amser ar aelwydydd pobl eraill nag yn ei nyth ei hun.

Pwysodd Dilys eilwaith ar y gloch, a synnodd Glenda'i

81

hun drwy ddringo wysg ei chefn i ben y grisiau cyn swatio yno ar ei sodlau a phipian heibio i'r postyn i lawr at y drws.

Gwelodd Dilys yn gwthio'i hwyneb yn erbyn y gwydr, gan rythu i mewn i'r tŷ, y sguthan bowld iddi. Be gythral wyt ti'n trio'i neud, Glenda? Dynas o dy oed di'n chwara cuddiad fel plentyn bach! Daeth pwl o chwerthin afreolus drosti, a siglodd yno ar ben y grisiau fel iâr yn gori gan wylio Dilys Parry yn codi'i bys eto am y gloch, yna'n penderfynu rhoi'r ffidil yn y to, troi a diflannu.

Yna sobrodd Glenda'n syth pan glywodd Gwenno'n pesychu o'i llofft. Cododd gan ymestyn ei choesau i fyny ac i lawr unwaith neu ddwy i gael gwared o'r anystwythder yn ei gewynnau.

Curodd yn ysgafn ar ddrws Gwenno, yna'i agor.

Eisteddai Gwenno ar ochr ei gwely, ei dwylo ymhleth ar ei glin, yn syllu i lawr rhwng ei phengliniau ar y carped. Edrychodd hi ddim i fyny ar ei mam.

'Gwenno?'

Dim ymateb, heblaw am yr ysgwyddau a dynhaodd ryw gymaint. Llamodd y gwirionedd i groesawu Glenda fel hen gi anferth. Eisteddodd ar y gwely yn ymyl ei merch. Sylwodd fel y gwasgai dwylo Gwenno ei gilydd mor ffyrnig nes i flaenau ei bysedd droi'n glaerwyn. Rhoddodd Glenda ei llaw drostynt yn ysgafn.

Arhosodd y ddwy felly mewn tablo llonydd ar ochr y gwely am eiliadau hir, tra deuai seiniau'r stryd i mewn drwy'r ffenestr, yn uchel a chlir fel rhai ar drac sain ffilm.

Yna'n raddol gadawodd Gwenno i'w chorff droi'n naturiol nes ei fod o'r diwedd yn llipa yn hen gofleidiad annwyl ei mam.

Pennod 7
CWESTIYNAU

Cic!
  Slap!
  Bowns!
  Cic!
Roedd Gwion wedi cicio'r bêl yn erbyn y wal gymaint o weithiau dros y blynyddoedd nes ei fod wedi hen ddatblygu rhythm naturiol. Y tric oedd peidio â gadael i'r bêl fownsio fwy nag unwaith ar y llawr. Bron y gallai wneud hynny yn ei gwsg erbyn hyn.

Ond roedd Mr Evans, ei athro, yn mynnu ei hel i'r gôl bob gafael! Beth oedd yn bod ar y dyn, yn methu gweld fod *inside right* penigamp ganddo yn ei ddosbarth? Ond cael ei sodro yn y gôl a wnâi Gwion druan bob gwers chwaraeon.

'Rwyt ti'n gôli rhy dda i ga'l dy wastio yng nghanol y cae, 'rhen Gwion,' sicrhaodd Mr Evans ef pan fentrodd Gwion gwyno un waith. Efallai wir—ond gwnâi well *inside right* o beth coblyn, cynddeiriogai Gwion. I wneud pethau'n waeth, roedd tîm y dosbarth yn un bril a phur anaml y byddai'r bêl ym meddiant rhywun o'r tîm arall, felly ychydig iawn o gyfle a gâi'r gôli da i brofi'i werth.

Cic! Slap! Bowns! Cic!

Lawr yn y Traeth, roedd tîm Port wedi rhoi cweir iawn i un Pwllheli—pedair gôl i un. Yr *inside right* sgoriodd dair ohonyn nhw, hefyd. Ac roedd gôli Pwllheli fel brechdan. Un diwrnod, Gwion fyddai'r *inside right*, doedd dim byd sicrach. A chynlluniodd i wahodd Mr

83

Evans i'w gêm gyntaf, er mwyn cael y pleser o weld ei athro'n ei gicio'i hun am osod y fath ddewin o chwaraewr yn y gôl, o bob man.

Cic! Slap! Bowns . . . bowns-bowns-bowns. . . Roedd Gwion wedi clywed llais ei dad yn codi yn y tŷ, a throes i edrych gan adael i'r bêl ennill yr ysgarmes.

Yn y parlwr cefn roedden nhw, Dad a Mam a Gwenno—ac roedd Rhywbeth Mawr wedi digwydd. Dyna pam roedd Gwion allan yn yr ardd gefn yn ymarfer ei droed dde, yn lle eistedd yn gwylio'r teledu.

Roedd ei dad a'i fam wedi dechrau siarad mewn iaith ddieithr. O—Cymraeg oedd hi, ond doedd bosib deall am beth roedden nhw'n baldaruo. Gwenno oedd wedi gwneud rhywbeth, ond beth, doedd gan Gwion 'run syniad sbanial. Roedd Gwenno'n edrych yn union fel y byddai hi ar ôl cael andros o row, ei llygaid yn goch efo olion crio, ond doedd Mam ddim fel petai'n ei dwrdio ryw lawer. Os rhywbeth, roedd hi'n hynod o glên efo hi, yn ei holi mewn llais distaw ac isel a hyd yn oed yn ei chofleidio bob hyn a hyn.

Roedd ei dad wedi ymddwyn yn od ar y naw, hefyd. Roedd mewn hwyliau digon da pan gyrhaeddodd ef a Gwion adref, ond fe newidiodd hynny mewn chwinciad chwannen. Roedd Gwion wedi oedi yn y gegin i wneud diod o sgwash oren iddo'i hun, a phan aeth i'r parlwr cefn roedd hwyliau da ei dad wedi diflannu fel dŵr oddi ar garreg lefn. Roedd yr ystafell mor ddistaw â llyfrgell, efo'i dad yn sefyll fel sowldiwr yng nghanol y llawr yn syllu i lawr ar ei fam a eisteddai yn ymyl Gwenno ar y soffa. Fan yno roedden nhw, ei dad yn sbio ar ei fam a'i fam yn sbio'n ôl ar ei dad tra oedd Gwenno'n sbio ar ei dwylo.

Yna troes wyneb ei dad yn hollol glaerwyn, yn union fel petai'r *Invisible Man* wedi'i baentio efo brws gwyngalch.

'Ieuan . . . ' meddai ei fam, efo rhywbeth tebyg iawn i

ofn yn ei llais, a chododd ei llaw er mwyn cyffwrdd yn ysgafn ym mraich ei dad. Meddyliodd Gwion am un foment ofnadwy fod ei dad am hitio'i fam. Roedd ei fysedd yn agor a chau, drosodd a throsodd a throsodd, fel petaen nhw'n ysu am gael gafael yn rhywun gerfydd ei gorn gwddw.

Yna cofiodd ei fam fod Gwion yno'n syllu arnyn nhw'n gegagored.

'Dos i'r cefn i chwara am dipyn, 'ngwas i,' meddai wrtho. 'Ma' Dad a finna isio siarad, yli. Mi wna i de inni toc.'

Yn awr, plygodd Gwion am ei bêl, ond doedd o ddim yn gallu'i gweld hi'n iawn mwyaf sydyn, ac roedd corneli'i geg yn mynnu troi i lawr.

Wnewch chi ddim ffraeo, yn na wnewch, Dad a Mam? *'Dach chi ddim i fod i ffraeo, ddim y chi.*

O, Gwenno—be wyt ti 'di neud?

'Mi ladda i o—!'

'Ieuan . . .'

'Mi ladda i'r diawl bach!'

'Wnei di ddim ffasiwn beth . . .'

'Y cythra'l bach, wedi ca'l 'i draed dan bwrdd yma . . .'

'Dad . . .'

'Mi fedri di fentro cau dy geg, y gnawas!'

'Ond ddim Arwel . . .'

'Dyna pam orffennodd o efo chdi'n dê? Unwaith roedd o wedi ca'l be oedd o isio . . .'

'Y fi orffennodd efo fo . . .'

'Ia, Ieuan.'

'Pam?'

'Be 'dach chi'n feddwl—pam?'

'Pam wnest ti orffan efo fo, 'ta? Y?'

'Ieuan—wnei di gwlio i lawr a gwrando? Ma' Gwenno

'di deud mai ddim Arwel 'nath.'

'Pwy, 'ta? Iesu Mawr—faint o gariadon sy gan hon?'

Edrychodd Glenda ar Gwenno. Ysgydwodd hi'i phen gan edrych i lawr yn ei hôl.

'Ddim Arwel Elis ydi o?'

'Naci, Ieuan. Faint o weithia sy isio deud?'

'Ond *pwy*, 'ta?'

'Dydi hi ddim am ddeud, Ieuan—ddim rŵan, beth bynnag. Wyt ti, Gwenno?'

Ysgydwodd Gwenno'i phen eto.

'Rhywun dw i'n nabod?'

'Naci.'

'Faint o weithia 'ti 'di bod allan efo fo?'

'Ieuan . . . ddim rŵan . . . '

'Pam? Be sy o'i le efo rŵan? 'Dach chi'ch dwy wedi cadw hyn oddi wrtha i'n ddigon hir fel ma' hi. Hen bryd inni ga'l chydig o onestrwydd yn y tŷ 'ma, faswn i'n deud. Faint o weithia 'ti 'di bod allan efo fo, Gwenno?'

Distawrwydd.

'Faint? Hannar dwsin o weithia?' Distawrwydd. 'Llai na hynny?'

'Ieuan, plîs . . . '

'Unwaith?' Dim ymateb oddi wrth Gwenno. 'Arglwydd mawr—'mond unwaith? *One night stand* oeddat ti i'r diawl?'

Edrychodd Glenda ar ei gŵr. Roedd hi a Gwenno wedi ofni mai fel hyn y byddai Ieuan yn ymateb. Pur anaml y collai ei dymer, ond pan fyddai hynny'n digwydd, gwae'r sawl a'i cynddeiriogodd. Gwyliodd Glenda'i wefusau'n symud heb i'r un gair ddod allan rhyngddynt am eiliadau, yna eisteddodd yn araf yn y gadair gyferbyn.

Yna meddai'n dawel, ''Ti'n gwbod be ma' hynny'n dy neud di, yn dwyt ti, Gwenno?'

'Ieuan!' Troes Glenda i gysuro'i merch, ond gan

feichio crio eto gwthiodd Gwenno hi i ffwrdd. Cododd a baglodd allan trwy'r drws ac i fyny'r grisiau.

Cododd Glenda i'w dilyn.

'Gad iddi fynd,' gorchmynnodd Ieuan. 'Ma' gynnon ni'n dau betha i'w trafod.'

Syllodd Glenda arno fel ar ddieithryn llwyr. 'Wyt ti'n meddwl o ddifri y baswn i'n 'i gada'l hi ar 'i phen 'i hun, ar ôl be 'ti newydd 'i galw hi? Rŵan, o bob adeg? Dy ferch dy hun?'

Edrychodd y ddau i fyw llygaid ei gilydd am eiliad, y braw yn prancio a thynnu stumiau rhyngddynt fel trydydd person byw. Yna trodd Glenda ac aeth i fyny'r grisiau.

Daliodd Ieuan i syllu ar y drws. Gallai glywed ei galon yn neidio i fyny ac i lawr yn ei fron fel peth gwyllt. Gwyddai ei fod, y foment hon, yn barod i ladd rhywun, yn ysu am gael gwneud. Gwenno? Glenda? Roedd y ddwy wedi cadw'r peth oddi wrtho, yn ddistaw a slei a sbeitlyd—am ba hyd, Duw a ŵyr. Am wythnosau, mae'n debyg, er i Glenda daeru mai ond heddiw y daeth hi i wybod y gwir yn iawn.

'Mond amau wnaeth hi cyn heddiw . . . ond diawl, onid oedd gwragedd i *fod* i rannu pob dim efo'u gwŷr? Pa bwrpas arall oedd 'na i briodas?

A'r Gwenno fach 'na wedyn . . . be ddigwyddodd i'r holl fusnas 'hogan Dad' 'na fu ers iddi fod yn ddim o beth? Lle'r oedd hwnnw wedi mynd, mwyaf sydyn? Hogan Dad fu hi erioed, a Gwion yn hogyn Mam.

Roedd isio hannar lladd y ddwy ohonyn nhw, penderfynodd Ieuan. Hannar lladd Gwenno a hannar lladd Glenda—byddai hynny cystal â lladd un ohonyn nhw'n llawn . . .

Sylweddolodd gydag ergyd, bron, beth oedd yn carlamu drwy'i feddwl. Arglwydd mawr, be oedd yn digwydd iddo fo? Bu bron iddo â sgrechian dros y tŷ— pwy oedd y basdad ddaru gawlio'r cwbwl?

Cododd yn sydyn, a chofiodd am Gwion druan wedi'i alltudio i'r ardd gefn. Daeth yn ymwybodol o sŵn y bêl yn taro'n erbyn y wal, ac aeth allan drwy'r gegin.

Roedd Gwion ym mhen draw'r ardd. Safodd Ieuan yn y drws am ychydig yn ei wylio'n cicio'i hen bêl fawr goch, ei goesau byrion yn symud yn ôl ac ymlaen fel pistons peiriant.

Camodd Ieuan i'r ardd. 'Tyrd—pàs i'r hen ddyn!' gwaeddodd.

Edrychodd Gwion i fyny arno, cyn dychwelyd i gicio'r bêl yn erbyn y wal. Cerddodd Ieuan tuag at ei fab gan feddwl, Paid titha â throi'n f'erbyn i hefyd, Gwion bach. Teimlai ddafnau o law mân yn poeri arno, a sylweddolodd fod y ddaear yn wlyb unwaith eto. Ers pryd y bu hi'n bwrw, meddyliodd, a'r hogyn bach wedi cael ei hel o'r tŷ.

'Doedd Maradona ddim hannar cystal am gofio'i wersi pan ddysgais i o sud i chwara ffwtbol,' meddai.

Gadawodd Gwion i'r bêl rowlio i ffwrdd. Gwyrodd Ieuan a gwelodd yn syth fod llygaid yr hogyn yn lleithach na'r glaswellt llipa ar y lawnt.

'Be sy, 'rhen foi?' gofynnodd yn dawel.

Dechreuodd Gwion ysgwyd ei ben, yna rhuthrodd yn sydyn am wddf ei dad gan ei wasgu'n dynn. Gwasgodd Ieuan ef yn ôl fel petai newydd ei dynnu o afael angau, gan deimlo'r corff bychan yn crynu'n ei erbyn wrth i Gwion frwydro'n erbyn emosiynau nad oedd eto'n gyfarwydd â hwy.

'Wnewch chi ddim ca'l difôrs, yn na wnewch, Dad? Chi a Mam?'

'O'r hogyn!' Cododd Ieuan ei law i anwesu gwallt ei fab, ond roedd y cap pom-pom coch a du—lliwiau Port—a wisgai Gwion yn ei rwystro. 'Wnawn ni ddim siŵr. Dw i'n gaddo hynny i chdi. Ma' dy fam a minna'n ormod o ffrindia i ryw hen lol felly.'

'Pam 'dach chi 'di ffraeo?'

'Dydan ni ddim, 'sti—wir yr.'

'Be ma' Gwenno 'di neud, 'ta?'

O'r Arglwydd! Sut oedd ateb cwestiwn fel'na, ac yntau wedi dŵad mor blwmp a phlaen o enau un mor ddiniwed? Sut oedd *peidio* ag ateb cwestiwn fel 'na pan oedd o'n gwybod yr ateb cystal nes ei fod o'n brifo?

'Dim byd,' atebodd, gan wybod yn iawn pa mor wallgof oedd y ddau air yma. 'Dim byd fedar dy dad a'th fam mo'i setlo, gei di weld.'

Sniffiodd Gwion yn uchel, cyn camu'n ôl i edrych yn llawn ar ei dad.

'Roeddach chi'n iawn, Dad,' meddai. Edrychodd Ieuan arno, heb ddeall. 'Ma' 'na ddiawl o draffarth efo'r merchad 'ma'n does?'

Nodiodd Ieuan. 'Oes, 'ngwas i. Tyrd—be am i ni'n dau ddangos iddyn nhw sud ma' gneud panad?'

Cerddodd y ddau'n ôl am y tŷ a Ieuan yn damio'r hen law wrth sychu'i ruddiau efo'i hances boced.

Pennod 8
PENDERFYNIADAU

Bu'r dydd Llun canlynol yn un go brysur i sawl person. Aeth Gwion i'r ysgol fel arfer, ddim gronyn callach ynglŷn â beth yn union ddigwyddodd ddydd Sadwrn i droi ei dad a'i fam yn ddau ddieithryn i'w gilydd, nac ychwaith pam yr oedd Gwenno wedi dechrau dilyn ei mam o gwmpas y lle fel cysgod. Anghofiodd am ei gartref dros dro, fodd bynnag, pan daflodd Mr Evans winc arno o'i gar pan gyrhaeddodd Gwion yr ysgol. Tybed oedd y winc yna'n golygu bod dyrchafiad o'r gôl ar y gweill? Dechreuodd Gwion edrych ymlaen at y wers chwaraeon yn y prynhawn.

Aeth Ieuan i'r garej efo'i lygaid yn crafu fel petai rhywun wedi tywallt tywod i mewn iddynt, ar ôl bwrw'r Sul yn ddi-gwsg hollol. Aeth pethau'n o ddrwg unwaith eto brynhawn ddoe, pan fethodd Ieuan â dioddef mudandod ei ferch eiliad yn hwy. Mynnodd fod Gwenno'n dweud wrtho pwy oedd yn gyfrifol am y tyfiant yn ei bol oedd yn prysur chwalu ei aelwyd gystal ag y gwnâi unrhyw fom. Mynnodd Gwenno hithau beidio â dweud.

'Pam wyt ti'n amddiffyn y diawl?' gwaeddodd Ieuan arni. Mwmblan nad oedd am i'r sglyfaeth gael gwybod wnaeth Gwenno; nid oedd arni eisiau unrhyw beth i'w wneud efo fo byth eto. Roedd rhywbeth yn y ffordd y dywedodd hyn a rewodd du mewn Ieuan. 'Ddaru o . . . ddaru o mo dy . . . repio di . . . ?' sibrydodd, ond ysgwyd ei phen wnaeth Gwenno. Edrychodd i fyw llygaid ei thad. 'Naddo, Dad,' meddai, gan dybio iddi weld y gair 'hwran' yn blaen ar ei wyneb. Ond doedd y gair hyll hwnnw ddim yn agos at feddwl Ieuan. Bellach, roedd ei holl lid wedi ymgasglu'n un waywffon hir a miniog wedi'i hanelu at darged a oedd, yn anffodus ar hyn o bryd, yn anhysbys. Credai Ieuan hefyd na allai fyth faddau i Glenda am beidio ag ymddiried ynddo ynghynt; roedd yr helynt anferth yma wedi dod fel daeargryn i'w bywydau, ac fe dyfai'r hollt yn y ddaear rhyngddynt yn fwy bob dydd.

Aeth Gwenno a Glenda i Gricieth i weld y meddyg, ac aeth Mici Jones i'r garej i weld Ieuan.

Damwain a hap oedd hyn. Cododd Mici am hanner awr wedi wyth, yn dilyn noson reit dda o gwsg am unwaith; cyrhaeddodd Kelvin uchafbwynt nas cyrhaedd-odd erioed o'r blaen, nes i Carol wneud yr hyn y dylai fod wedi'i wneud fisoedd ynghynt, sef ei sodro yn ei got a'i adael yno i sgrechian nes iddo gysgu drwy weddill y noson, wedi blino'n lan. Bu'r teulu'n sleifio fel Apaches drwy'r tŷ wedyn. Dihunodd Kelvin yn gall am ychydig wedi wyth fore Llun, gan wenu'n glên ar y byd a'r betws, hyd yn oed pan anadlodd Len bersawr arbennig y Legion drosto wrth gosi'i fol.

Roedd pawb yn gwenu ar ei gilydd y bore hwnnw. Er ei bod yn oer y tu allan, disgleiriai'r haul o awyr las cerdyn post ac roedd rhyw sglein arbennig ar bopeth rywsut. Canodd Carol ddetholiad o ganeuon Whitney Houston wrth lwytho'r peiriant golchi. Safai Mici efo'i fam wrth sinc y gegin, yn sychu'r llestri brecwast wedi i Bet eu golchi. Am y tro cyntaf ers cyn i Moses wisgo pais, wnaeth Bet ddim swnian arno i chwilio am waith yn rhyw-le. Syfrdanodd Len bawb drwy gyhoeddi ei bod yn hen bryd i rywun fynd i'r afael efo'r chwyn a'r mieri yn yr ardd, cam aruthrol ymlaen iddo fo. Yn syth wedyn chwarddodd Kelvin chwerthiniad bach tew o'i goits, gan beri i bawb arall chwerthin yn eu tro, a thrwy hynny wneud y bore cynnar hwn yn un hynod unigryw yn eu hanes diweddar fel teulu.

Ymadawodd Bet am Kwiks, a chyn hir wedyn aeth Carol a Kelvin allan i siopa. Gorffennodd Mici un o nofelau cyfoglyd Shaun Hutson tra mwynhaodd Len y *Sun*. Ychydig iawn o gyfathrach fu rhwng y ddau erioed. Bet a fagodd Mici; roedd Len ond yn bodoli yn y tŷ fel darn o ddodrefn.

'Lle 'ti'n mynd—i dorri dy wallt?' gofynnodd Len pan gododd Mici i wisgo'i siaced ddenim. Rhythodd Mici arno. Len yn dweud jôc! Eisteddai wrth fwrdd y gegin yn siglo chwerthin, sigarét yn ymwthio rhwng ei wefusau, yn edrych fel hen gacen fawr ag un gannwyll yn ei chanol.

'O leia mi fasa'r barbar yn gwbod lle i ddechra efo fi,' atebodd Mici.

'Be?' Syllodd Len yn hurt arno.

'Dim byd, dim ots,' ochneidiodd Mici. Dyna ben ar y ddeuawd gomedi newydd yna, meddyliodd wrth adael y tŷ.

Wrth groesi'r ffordd wrth y stesion, neidiodd pan seiniodd nodau 'Colonel Bogie' y tu ôl iddo.

'Blydi hél—Tomi!'

'Un ffordd o dy ddeffro di'n dê! Tyrd—neidia i mewn.'

'Lle 'dan ni'n mynd?' holodd Mici ar ôl eistedd yn y car.

''Mond i fan 'ma.' Gyrrodd Tomi heibio i'r gornel a stopio'r car o flaen drysau'r garej. 'Dw i angan chwaraewr casét newydd yn hwn, a ma'n nhw'n 'i osod o weil-iw-wêt yma.'

'Faswn i wedi gallu cerddad yma'n gynt,' grwgnachodd Mici wrth ddringo allan o'r car.

Llamodd Tomi Goch i mewn i'r garej fel petai biau'r lle. 'Ieuan! Lle wyt ti? Ieuan!'

Ymddangosodd tad Gwenno o geubal y garej. Does 'na ddim golwg ry hapus ar hwn, meddyliodd Mici. Heblaw am un edrychiad surbwch i'w gyfeiriad, anwybyddodd Ieuan ef yn llwyr. Digon hawdd gweld sut roedd y Gwenno fach 'na â chymaint o feddwl ohoni'i hun.

Roedd Tomi Goch eisoes wedi dewis ei beiriant, ac ni fu Ieuan yn hir yn ei osod iddo. Ceisiodd Tomi godi sawl sgwrs tra oedd Ieuan wrthi, ond heb fawr o lwyddiant.

''Ti'n flin ar y diawl bora 'ma, Ieu,' meddai Tomi tra oedd yn talu yn y swyddfa. 'Chest ti mo dy damad wic-end 'ma, ne rwbath?'

Rhythodd tad Gwenno arno.Ni freuddwydiodd Mici erioed y byddai'n gweld rhywun yn edrych fel hyn ar Tomi Goch, o bawb. Gafaelodd Ieuan yn yr hen beiriant casét a'i wthio dros y cownter o dan drwyn Tomi.

'Sud fasa chdi'n licio hwn i lawr dy gorn gwddw?' meddai. Roedd ei law'n crynu, nid ag ofn, ond â chynddeiriogrwydd. Gwyddai Mici ei fod o fewn trwch blewyn i wireddu'i fygythiad.

Synnwyd ef ymhellach pan glywodd Tomi'n ymddiheuro.

'Hei—sori, Ieu. Do'n i'm yn meddwl dim byd. Yr hen geg fawr 'ma eto, 'achan. Sori, boi.'

Aeth eiliadau hirion heibio cyn i dad Gwenno roi'r peiriant yn ôl i lawr. Gorffennodd lenwi derbynneb Tomi a'i gwthio tuag ato.

'Diolch iti, Ieu. Sori am hynna.'

'Ma'n iawn,' atebodd tad Gwenno'n swta.

''Ti'n nabod y dyn yma, yn dwyt ti?' meddai Tomi am Mici.

'O ran 'i weld.'

'Doeddat ti ddim yn 'rysgol efo hogan Ieu, Mici?' gofynnodd Tomi.

Roedd Ieuan wedi cychwyn troi i ffwrdd, ond troes yn ei ôl ar hyn. Edrychodd ar Mici'n llawn am y tro cyntaf. Doedd Mici ddim yn hoffi'r edrychiad o gwbl.

'Ma' hi'n fengach na fi,' meddai'n frysiog. 'Dw i 'di gada'l ers ha' dwytha.' Fe'i teimlodd ei hun yn cochi at ei glustiau. Roedd llygaid tad Gwenno'n aros arno'n hollol lonydd. Ceisiodd Mici wenu arno. 'Ma' hi'n fwy clyfar na fi o lawar.' Blydi Tomi Goch! Oedd raid i'r brych agor ei hen geg fawr eto?

Chwarddodd Tomi. 'Ia, wel—dydi hynny ddim yn deud llawar, yn nac ydi, Mihangel?' Trawodd Mici'n ysgafn ar ei ysgwydd. 'Tyrd—'dan ni'n cadw'r dyn yma o'i waith. Diolch eto, Ieu.'

Dilynodd Mici Tomi allan o'r garej.

''Dwn i'm be ydi'r matar efo Ieu Lloyd heddiw 'ma,' meddai Tomi yn y car. 'Mae o'n rêl cês fel arfar.'

'Ro'n i'n meddwl yn siŵr 'i fod am stwffio'r peiriant casét 'na i lawr dy wddw di,' meddai Mici.

'Ro'n inna hefyd, was,' atebodd Tomi. Estynnodd dâp Bruce Springsteen o'r cwpwrdd bychan o flaen Mici. 'Dw i ddim isio trwbwl efo Ieu Garej, o bawb.'

'Pam? Ydi o'n foi go galad, felly?' holodd Mici, gan gofio'r ffordd y bu tad Gwenno'n ei lygadu.

'Pwy—Ieu? Nac 'di,' chwarddodd Tomi. 'Ma'n ffrindia efo'r bosys 'cw yn y depo, a fasa fiw imi sathru ar 'i gyrn o, ddim os dw i isio cadw'n job.' Llanwyd y car â nodau agoriadol 'Born in the USA' a chwaraeodd Tomi efo'r sŵn am ychydig, cyn ei ostwng i lefel gymharol normal. 'Clyw, myn diawl! Grêt, 'achan! Reit— rhaid i mi'i ffaglu hi'n ôl am 'Stiniog ne fydd gen i ddim job, Ieu Garej ne beidio. 'Ti isio lifft i rwla?'

''Mond i dop stryd.'

Fel arfer, croesholodd Tomi ef am Carol a Kelvin yr holl ffordd drwy'r dref, ond dim ond rhyw hanner gwrando arno a wnâi Mici. Roedd ei feddwl ar dad Gwenno a'i lygaid llonydd. Diolch i Dduw mai 'mond unwaith fues i allan efo hi, meddyliodd. Gobeithio'i bod hi ar y pil, meddyliodd wedyn am y tro cyntaf, gan fynd yn oer i gyd drosto.

Ond wedyn, ymresymodd—ei phroblem hi oedd gofalu am hynny'n dê?

Teulu digon cyffredin ydan ni, meddyliodd Glenda. Dydan ni ddim yn bobol capal neis-neis nac ychwaith yn garidyms coman, 'mond pobol gyffredin yn byw bywydau cyffredin. Yr unig bethau yr oedd ar Ieuan a finnau'u hisio oedd priodi, cael plant, cael eu magu nhw'n weddol gyff-orddus heb orfod crafu pob dima, gweld y rheini'n priodi'n eu tro, riteirio a mwynhau'n hunain cyn inni fynd yn rhy hen i neud hynny. Doeddan ni ddim isio gneud unrhyw argraff fawr, anghyffredin ar y byd o gwbl.

Ond rŵan, dyma hyn yn digwydd. Mi fydd o'n chwalu pob dim os na fydd Ieuan a finnau'n ofalus. I *ni*, mae be sy wedi digwydd i Gwenno'n anghyffredin ofnadwy. Pam felly roedd y meddyg yn ei drin fel peth hollol gyff-redin?

Fel y rhan fwyaf o famau, roedd Glenda wedi edrych ymlaen at glywed bod ei merch yn disgwyl, ond nid oedd wedi breuddwydio y clywai hynny cyn i'w merch orffen ei haddysg a phriodi. Deng mlynedd arall; efallai bryd hynny y byddai Gwenno'n barod i wneud Glenda'n nain. Yn sicr nid rŵan, a hithau ond newydd gael ei hun ar bymtheg. Dim ond plentyn oedd hi, yn enw'r tad! Ac roedd y bwbach doctor 'na'n gwenu arnyn nhw dros ei ddesg, fel petai newydd ddweud wrthyn nhw'u bod nhw wedi ennill y pŵls pêl-droed.

'Peidiwch â phoeni,' meddai, 'dydi hi ddim yn ddiwedd y byd.'

'Sud fedrwch chi ddeud hynny . . . !' cychwynnodd Glenda, ond daliodd y meddyg ei law i fyny.

'Ma'n ddrwg gen i. Dw i ddim yn cymryd y peth yn ysgafn o gwbwl. Ma' Gwenno a'i chariad'—gwingodd Gwenno yn ei chadair—'wedi bod yn flêr iawn. Yn esgeulus ar y naw, Gwenno, os ga i ddeud. Does 'na ddim esgus dros beidio â gofalu bod hyn ddim yn digwydd y dyddia yma, yn enwedig efo'r hen AIDS 'ma o gwmpas fel mae o. Ond dyna fo—mae'n siŵr dy fod di wedi clywad hen ddigon o bregethu am betha felly'r dyddia' dwytha 'ma'n do?'

Nodiodd Gwenno, ond methodd wenu'n ôl ar y meddyg.

'Y cwestiwn rŵan ydi, be wyt ti am neud?'

Rhythodd Glenda arno. 'Mi faswn i'n meddwl bod hynny'n hen ddigon amlwg.'

Edrychodd y meddyg arni. 'Ydi, i ni ella.' Troes yn ôl at Gwenno. 'Gen ti ma'r dewis, Gwenno.'

Teimlodd Gwenno fel sgrechian. Ers pryd fu ganddi hi unrhyw ddewis o gwbl? Roedd wedi hen aberthu'r fraint honno wythnosau ynghynt yng nghefn y Queens.

'Ma' gen ti dri dewis, 'sti,' meddai'r meddyg. 'Fedran ni dy helpu di efo dau ohonyn nhw, o leia. Os wyt ti'n dewis cael a magu'r babi'—tro Glenda oedd hi i wingo'n awr—'yna fedran ni ddim gneud llawar tan ar ôl yr wyth mis nesa, wrth reswm. Os wyt ti'n dewis cael erthyliad, yna mi fedran ni ddechra dy helpu di rŵan, cyn iti fynd adra.'

Edrychodd Gwenno arno. 'Ddudsoch chi fod gen i dri dewis,' meddai. 'Be ydi'r trydydd?'

'Ca'l y babi, yna'i roi o i ffwrdd i ga'l 'i fagu.'

'Brenin mawr!'

'Mae o'n digwydd yn amlach o lawar na fasach chi'n feddwl, Mrs Lloyd.'

Troes Gwenno i edrych ar ei mam. ''Sgen i ddim dewis, yn nag oes . . . ?'

Torrodd y meddyg ar ei thraws. 'Gwenno.' Edrychodd Gwenno'n ôl arno. 'Paid byth â meddwl fod dim dewis gen ti. Dydw i na dy fam ddim isio dy orfodi di i neud unrhyw beth yn erbyn d'ewyllys—yn nag oes, Mrs Lloyd?' Atebodd Glenda mohono. Yn hytrach, estynnodd ei llaw i afael yn un Gwenno. 'Dw i ddim isio iti ddewis rŵan, chwaith. Dw i am i chdi fynd adra a meddwl yn ddwys—nid jest dros nos, ond am ddyddia.'

Nodiodd Gwenno. Am benderfyniad i'r un hogan ifanc orfod ei wneud! meddyliodd y meddyg. Edrychodd i lawr ar ei phen-glin. Roedd yr hen graith fechan yn dal arni, craith a gafodd Gwenno pan syrthiodd wrth chwarae ar ochor y Cyt pan oedd yn ddeg oed. Cofiodd mor ddewr y gorweddai tra bu ef yn pwytho'r archoll. Roedd hynny ond fel ddoe . . .

'Doctor, 'mond hogan fach ifanc ydi hi!' ebychodd Glenda. 'Mi fasa'n wallgo iddi feddwl am fagu babi yn 'i hoed hi. Ma' gynni hi flynyddoedd o ysgol o'i blaen, heb sôn am goleg. Dydi hi ddim wedi dechra byw'n iawn eto . . . '

'Wn i, Mrs Lloyd—Glenda—wn i hynny'n iawn. Dw i'n cytuno efo chi, coeliwch chi fi. Ma' babi'n ymrwymiad am oes, rydan ni fel rhieni'n gwbod hynny'n iawn.'

'Mi fasach chi'n 'i hargymell hi i ga'l erthyliad, felly?'

Sugnodd y meddyg ei wynt drwy'i ddannedd. 'Fyddwn i byth yn meiddio *argymell* i unrhyw hogan ga'l erthyliad,' meddai. 'Nid fy lle i ydi gneud peth felly. Ond 'tasach chi'n gofyn i mi, yn answyddogol felly, be faswn i'n *cynghori* fy merch fy hun i'w neud petai hi'n deud wrtha i ei bod yn disgwl, yna . . . ' Cododd ei ddwylo ychydig a'u hagor. 'Dos adra i feddwl, Gwenno. Ma' gen ti ddigon o amsar. Mi ddoist ti i 'ngweld i'n ddigon cynnar. Cofia—y chdi sydd i benderfynu.'

Wedi i'r drws gau ar ôl Gwenno a'i mam, eisteddodd y meddyg yn synfyfyrio am ychydig. Gallai gydymdeimlo i'r byw â'r fam a'r ferch; gwyddai sut y byddai ef yn ymateb petai ei Sioned ef yn beichiogi. Cyfaddefai iddo fod o blaid erthylu; gwyddai'n iawn am sawl bywyd a chwalwyd yn yfflon rhacs pan anwyd baban doedd ar neb ei eisiau go iawn. Ar y llaw arall, fel meddyg dylai fynd ati i achub pob bywyd, dim ots pa mor elfennol ydoedd yn y groth.

Ond doedd o, wedi'r cwbl, ddim wedi'i roi ar yr hen ddaear yma i foesoli. Diolch byth.

Canodd y gloch am y claf nesaf.

Ar eu ffordd adref i Port, sylwodd Glenda fel roedd Gwenno'n anwesu'i bol yn ddifeddwl a rhedodd ias oer drwyddi. Pam na fuasai'r blydi doctor 'na wedi cau'i geg, meddyliodd, gan wybod ar yr un pryd fod y meddyg yn llygad ei le. Nid oedd am orfodi Gwenno i wneud unrhyw beth; roeddynt wedi dod yn agos iawn at ei gilydd yn ddiweddar ac mi'r oedd o'n deimlad braf. Nid oedd Glenda am beryglu hynny'r mymryn lleiaf.

'Paid â meddwl rŵan, Gwen,' meddai'n dyner. 'Mi glywist ti be ddudodd y doctor. Ma' gen ti ddigon o amser.'

Ceisiodd Gwenno wenu. 'Dyna'r peth, 'ndê.'

'Be 'ti'n feddwl?'

'Ma' gen i ddigon o amser, yn does? Ma' gen i 'mywyd i gyd o mlaen i. 'Taswn i'n gneud y dewis rong, 'mond wyth mis fasa gen i.'

Cododd calon Glenda.

'Wyth mis yn fwy na sgen hwn . . . ne hon.' Anwesodd Gwenno'i bol unwaith eto.

'O, Gwenno!'

Roeddynt ar fin gadael Pentre'r-felin. Canodd gyrrwr y car tu ôl iddynt ei gorn yn filain wrth i Glenda dynnu i mewn heb arwydd i fan parcio ar ochr y ffordd. Diffoddodd y peiriant a throes i edrych ar ei merch, a oedd yn eistedd yn syllu ar ei dwylo eto.

'Gwranda, Pwt—dydi o ddim yn "fo" nac yn "hi" eto. Paid â meddwl amdano fo fel 'na.'

'Sud oeddach chi'n meddwl amdana i ne Gwion pan oeddach chi'n disgwl, 'ta?'

Nid oedd Glenda wedi smygu ers ei harddegau, ond buasai'n rhoi'r byd am sigarét y funud honno.

'Roedd hwnna'n gwestiwn annheg, Gwenno.'

'Pam?'

'Dydi'r sefyllfa ddim 'run peth, yn nac ydi . . . '

'Disgwyl babi ydw i, Mam.'

'Ia, dw i'n gwbod, ond . . . ' Agorodd Glenda'i ffenestr a llyncodd yr awyr iach ddaeth i mewn i'r car. 'Roedd Dad a finna dy isio di a Gwion. Roeddan ni wedi planio'ch ca'l chi, roeddan ni'n *barod* amdanoch chi.' Sylwodd ar gudyll coch yn hofran yn uchel rywle rhwng Coed y Wern a throed Moel y Gest, sbecyn llonydd yn craffu i lawr am symudiad sydyn ymysg y rhedyn.

'Dydi'r sefyllfa ddim 'run fath, Gwenno. Ma' dy dad a finna'n caru'n gilydd. Un diwrnod, mi ddoi ditha i wbod sud beth ydi caru rhywun gymaint fel y byddi di isio rhannu gweddill dy oes efo fo.' Pwyll rŵan, Glenda, fe'i rhybuddiodd ei hun. 'Fedri di ddeud, efo pob gonestrwydd, dy fod di'n teimlo felly tuag at bwy bynnag sy wedi dy neud di'n feichiog?'

Ddywedodd Gwenno'r un gair am eiliadau hirion. Yna meddai'n dawel, 'Dw i byth isio'i weld o eto, Mam.'

'Mi wnei di, Gwenno.'

'Be?'

'Mi wnei di, bob dydd o dy fywyd—os gadewi di i be sy tu mewn i chdi rŵan dyfu'n fabi iawn. Fyddi di'n methu sbio ar y peth bach heb weld 'i dad ynddo fo'n rhwla. Ac unwaith y byddi di wedi sylwi ar hynny, tyfu wneith y tebygrwydd wrth i'r babi dyfu. Ella na fydd o ddim yn amlwg i neb arall, ond mi fydd o i chdi. A fasa hynny ddim yn deg ar neb.'

Wrth iddi orffen siarad, disgynnodd y cudyll coch fel carreg o'r golwg y tu ôl i'r coed a gwingodd Glenda wrth ddychmygu clywed y sgrech fechan, fain o ganol y rhedyn.

Ailgychwynnodd beiriant y car. 'Tyrd, awn ni adra. Mi faswn i'n rhoi rhwbath am banad rŵan.'

'Diolch, Mam.'

Roedd Gwenno'n dal i eistedd yn syllu ar ei dwylo, ond roeddynt yn llonydd ar ei glin erbyn hyn. Gwasgodd

Glenda hwy. 'Am be, dywad? Be oeddat ti'n disgwl i mi neud—dy daflu di allan o'r tŷ ne rwbath?' Rhoes y car mewn gêr. 'Hôm, Jêms.'

DATGUDDIADAU

Pan gerddodd Mici Jones i mewn i Recordiau'r Cob un bore tua diwedd yr wythnos, bu bron iddo gael ffit o weld Dei Slei'n sefyll y tu ôl i'r cownter a phentwr o recordiau yn ei freichiau.

'Ffocsi?'

Edrychodd Dei arno dros y llwyth recordiau. 'O chdi sy 'na, Ci Drain.'

'Be uffarn 'ti'n neud yma?'

'Be ma'n edrach fel 'swn i'n neud? Gweithio'n dê.'

Cludodd Dei ei lwyth tua'r raciau, Mici'n ei ddilyn fel ci bach ansicr.

'Ers pryd?'

'Be?'

'Ers pryd wyt ti'n gweithio yn . . . yn fan 'ma?' Roedd Siop y Cob fel y Cysegr Sancteiddiolaf i Mici, ac roedd gweld Dei Slei'n gweithio yno'n gabledd llwyr iddo fo, fel gweld un o'r efeilliaid Kray yn athro Ysgol Sul.

'Ers dydd Llun. Breian ofynnodd imi weithio 'ma pan bicis i i mewn. 'Mond tra bod un o'r hogia'n sâl.'

'Faswn i'n deud fod Breian yn sâl, os ydi o'n ddigon thic i roi job i chdi!'

Gwenodd Dei Slei. 'Hen beth hyll ydi jelysi pan 'ti'n 'i weld o yn y cnawd, 'ndê?'

Nid oedd Mici am geisio gwadu ei fod yn gynddeiriog â chenfigen. Trystio Ffocsi i fod yn y lle iawn ar yr amser iawn! meddyliodd yn gandryll. Teimlai'n annheg o ddig tuag at berchennog y siop am gyflogi hwnnw o bawb, a thaenu halen ar ei friw.

'Dydi Breian ddim isio neb arall yma, mwn?'

'Sori, Ci Drain. Biti hefyd—fasa chdi wrth dy fodd yma efo'r miwsig yma ymlaen drwy'r dydd.'

Sylweddolodd Mici am y tro cyntaf fod record Bruce Springsteen i'w chlywed dros y siop.

Roedd Dei yn amlwg yn cael modd i fyw o'r sefyllfa. Bu'n edrych ymlaen drwy'r wythnos at weld wyneb Mici Jones, a chafodd o mo'i siomi. Edrychai hwnnw mor ddiflas â iâr mewn storm. Penderfynodd Dei ychwanegu ychydig o'i finegr arbennig ei hun at yr halen a losgai'n barod ym mriw Mici.

'Wel,' meddai, ''fedrai'm aros yma'n siarad drwy'r dydd efo chdi. Ma' gan rai pobol waith i'w neud.'

Troes Mici Jones ar ei sawdl a gadawodd y siop. Blydi Dei Slei! rhegodd wrtho'i hun wrth gerdded yn ôl am y Stryd Fawr, a gwg fel locsyn mawr du ar ei wyneb. Galw'i hun yn fêt i mi! Mae pawb yn gwbod 'mod i jest â thorri 'mol isio gweithio yn Siop y Cob—a Breian hefyd. Mae'r diawl hwnnw wedi cymryd digon o 'mhres dôl i dros y blynyddoedd . . .

'Bydd fel 'na 'ta'r snob!'

'Be . . . ?'

Arhosodd Mici a throes i weld Lisa'n galw ar ei ôl. ''Ti 'di mynd yn fyddar 'ta be, Mici Jones?'

Ni wenodd Mici. Doedd o ddim am weld neb a fyddai'n ei atgoffa o Dei Slei ar y foment.

'Be 'ti isio, Lisa?'

'Bydd fel 'na 'ta. Dw i'm isio dim byd gan foi blin.'

Troes Lisa a chychwynnodd gerdded i ffwrdd. Ailystyriodd Mici ac aeth ar ei hôl, gan afael yn ei braich.

'Hei—sori, Lis. Ond fasa chditha'n flin hefyd 'tasa 'na rywun wedi bachu dy job di.'

'Be? Ond 'sgen ti ddim . . . ' Yna deallodd Lisa. 'O! Dw i'n cymryd dy fod di newydd fod i Siop Cob.' Nodiodd Mici. 'Ond ddim dy job di oedd hi.'

'Naci, dw i'n gwbod, ond . . . ysti . . . '

Edrychai mor ddigalon. Tynerodd wyneb Lisa. 'Ia, wn i, boi. Ma' Ffocsi wedi bod fath â hogyn bach drwy'r wsnos, yn methu gwitshiad i weld dy wep di pan fasa chdi'n cerddad i mewn i'r siop a'i weld o'n gweithio yno. Roedd o'n dechra panicio rhag ofn i'r boi arall fendio cyn i chdi alw i mewn yno.'

'Basdad.'

'Ia, braidd.'

'Pam na fasa fo'n deud wrth y Breian 'na'i fod o ddim isio'r job, thancs ôl ddy sêm, ond 'i fod o'n gwbod am uffar o foi da fasa'n 'i chymryd hi? Dydi hi ddim fath â 'sa fo angan y pres, yn nac 'di?'

'Nac 'di, ma'n siŵr . . . '

'Galw'i hun yn fêt . . . !'

Edrychai Lisa braidd yn annifyr. 'Wel . . . y . . . nac 'di ddim y dyddia yma, dw i'm yn meddwl.'

'Be?'

'Dydi o'm yn galw'i hun yn fêt i chdi, Mici—ddim ers iddo fo ffeindio allan amdanan ni.'

'Mi soniodd o am hynna'r diwrnod o'r blaen, yn y Llong. Ond ddim jest ffeindio allan ddaru o, yn naci, Lis? Y chdi ddudodd wrtho fo'n dê?'

'Dyna be ddudodd o?'

'Ia.'

Edrychai Lisa'n fwy annifyr byth am eiliad, yna daeth ati'i hun. 'Ia, wel—y fi oedd wedi colli 'nhempar efo fo'n dê.'Ti'n gwbod fel mae o'n ffansïo'i hun weithia—rêl blydi ceiliog dandi.'

'Roedd o'n goc i gyd tu ôl i'r cowntar 'na heddiw hefyd.'

'Oedd, mwn. A dydi hynny ddim yn deud llawar.'

Gwenodd y ddau ar ei gilydd.

'I lle 'ti'n 'i chychwyn hi rŵan?' holodd Lisa.

Edrychodd Mici o'i gwmpas. Roedd wedi cerdded cyn belled â Swyddfa'r Post heb sylweddoli iddo wneud hynny. 'Dwn i'm. Nunlla sbesial. Pam?'

'Ma' hi'n ddiwrnod braf. 'Sgen ti ffansi dŵad am dro bach?'

'Lle?'

'Rwla. Dim ots gen i. Be am Borth?'

'Pam lai? Waeth inni hynny, ddim. Rwla heblaw blydi Siop Cob.'

Chwarddodd Lisa a gafaelodd yn ei fraich wrth iddynt groesi'r ffordd a chychwyn i fyny'r rhiw am Borth-y-gest.

* * * * * *

'Dydw i ddim yn poeni, ddim go iawn,' meddai Arwel.

Siarad ag o'i hun yr oedd o. Eisteddai yn llyfrgell yr ysgol yn ymgodymu—fel Jacob efo'r angel—â thraethawd i'w athro ysgrythur ar sawl elfen o hen epic Gilgamesh oedd yn stori'r Dilyw o'r Hen Destament. Bum munud ar ôl eistedd, deallodd nad oedd hynny fawr o bwys o'i gymharu â Gwenno. Ac anodd oedd canolbwyntio ar Noa ag absenoldeb Gwenno o'r ysgol yn chwarae'n barhaus ar ei feddwl.

'Y hi orffennodd efo chdi,' atgoffodd Arwel ei hun. 'Paid â gwastraffu d'amsar efo hi.'

Ond haws dweud na gwneud. Roedd yn argyhoedd-edig ei fod yn breuddwydio amdani hyd yn oed ond yn methu â chofio'r breuddwydion fore trannoeth. Roedd ei blorod hefyd yn waeth ac ar gynnydd—arwydd pen-dant fod pethau'n bell o fod yn iawn.

Roedd Gwenno wedi bod i ffwrdd bellach ers bron i wythnos. Petai Arwel yn cael ei ffordd ei hun byddai'n brysio i edrych amdani, ond gwyddai na châi fawr o groeso pe gwnâi hynny; roedd Gwenno wedi tanlinellu'n ddigon plaen iddo'r ffaith nad oedd am ei weld. Eto, teimlai Arwel y dylai o leiaf holi'n ei chylch. Mi fuasai hynny'n beth digon naturiol i'w wneud; nid swnian a gwneud niwsans glân ohono'i hun fyddai gofyn i rywun fel Carys Wyn sut oedd hi. Ond ei basio fel baw a wnâi honno'n ddiweddar hefyd. Buasai rhywun yn meddwl mai ryw Bluebeard oedd Arwel druan, yn hytrach na'r un a gadd ei wrthod. Roedd wedi bod ar fin holi Carys ar sawl achlysur, nes iddi droi tuag ato fel Mediwsa a'i rewi yn y fan a'r lle bob tro.

'Be ar wynab y ddaear dw i wedi'i neud?' holai Arwel y duwiau. Pan welodd fod Gwenno'n absennol gyntaf oll, dychmygodd mai edifarhau yr oedd hi am ddi-weddu'u perthynas. Yn ei feddwl gwelodd hi'n troi a throsi mewn twymyn ar wely o ddrain, yn ei chosbi'i hun am ei chreulondeb a'i ffolineb byrbwyll. I fynd â'r ddrama ymhellach, fe'i gwelodd ei hun wedyn yn penlinio wrth ei gwely gan gymryd ei llaw fechan hi yn ei un ddynol ef, ac yn maddau popeth iddi tra gofynnai Gwenno i bawb sut y bu mor wirion â cham-drin y ffasiwn sant yn y lle cyntaf.

Ef oedd yn dioddef, fodd bynnag, ac nid Gwenno. Nid oedd wedi bwyta'n dda ers tro, ac wrth gwrs fe sylwodd ei fam ar hynny'n syth bin.

'Dwn i'm be sy'n bod efo'r hogyn 'ma,' cyhoeddodd ei fam wrth ei dad un diwrnod, yng ngŵydd Arwel. Roedd-ynt wastad yn trafod eu hunig-anedig fel pe na bai ar eu cyfyl. 'Mae o'n bwyta fath â dryw. Dwn i ddim pam dw i'n trafferthu cwcio iddo fo, wir.'

'Na finna,' cytunodd ei dad. 'Dydi hi ddim yn naturiol i hogyn ar 'i brifiant fwyta cyn lleiad. Mae o'n ddigon o linyn trons fel mae o,' ychwanegodd, yn ddianghenraid o greulon yn nhyb Arwel.

Doedd gan yr un o'i rieni unrhyw syniad o'r boen o golli'r cariad cyntaf. Buont yn canlyn ei gilydd ers dyddiau ysgol a choleg, heb fynd efo neb arall un ai cyn nac ar ôl priodi, hyd y gwyddai Arwel. Annheg ar ei ran ef felly oedd disgwyl iddynt ddeall y fath artaith aruthrol oedd bywyd iddo ef bellach. Cofiodd linell o un o gerddi I.D.Hooson, 'Yr addfwyn rai sy'n dwyn y bai, o hyd, o hyd'.

Ochneidiodd yn uchel dros y llyfrgell, gan beri i'r athro ymarfer corff, a eisteddai ym mhen yr ystafell yn darllen catalog, syllu'n chwilfrydig i'w gyfeiriad. Digon yw digon; penderfynodd Arwel gornelu Carys Wyn amser chwarae a mynnu cael gwybod beth oedd yn bod ar Gwenno.

* * * * * *

'Water! Water! For God's sake . . . water!' crawciodd Mici Jones wrth iddo'i lusgo'i hun ar ei fol dros y tywod, ei dafod allan fel tafod ci.

Chwarddodd Lisa. ''Ti'm yn gall! Sbia—ma' dy ddillad di'n dywod i gyd.'

'Dim ots, mae o'n stwff glân.' Cododd Mici gan ysgwyd y tywod o'i ddillad; petai athro ysgrythur Arwel wedi'i weld, byddai Mici wedi ei atgoffa o'r Apostol Paul yn ysgwyd llwch dinas Effesus oddi ar ei ddillad. 'Ma' Arabs yn molchi ynddo fo, 'sti.'

''Ti'n ddigon o Arab yn barod, Mici Jones. Tyrd—dw i jest â marw isio ista a cha'l ffag.'

Roedd y llwybr cul a redai uwchben traethau del Borth-y-gest wedi hen orffen, a dringai Mici a Lisa'r twyni uchel oedd yn gwarchod mynedfa'r traeth mwyaf a phellaf. Yn yr haf byddai'r traethau'n frith o ymwelwyr, ond y diwrnod hwnnw hawdd y gallai'r ddau ifanc ddychmygu mai ond y nhw oedd ar ôl yn y byd.

'Fel hyn ma' hi yma ar ddiwrnod 'Dolig,' meddai Lisa. 'Yn ddistaw, neis. Neb o gwmpas.'

Edrychodd Mici arni. 'Fyddi di 'rioed yn dŵad i fan 'ma ar ddiwrnod 'Dolig!' rhyfeddodd.

'Byddaf, tad. Bob blwyddyn ers blynyddoedd. Ma'n ffordd dda o ddeijestio dy ginio 'Dolig.'

'Gneud peth felly o flaen y teli fydda i . . . '

'Y chdi ydi hwnnw'n dê.'

'. . . a safio pob rhechan ar gyfar *speech* y Cwin.'

Pwniodd Lisa ef yn chwareus. 'Sglyfath!'

'Dad a fi am y gora . . . '

'Reit, reit! Dw i ddim wir isio gwbod amdana chdi a dy dad yn poliwtio Port.' Cychwynnodd Lisa i lawr am y traeth a gafaelodd Mici yng ngwaelod ei chôt gan ei thynnu'n ei hôl.

''Rhosa am funud. Dw i isio dangos y Cenal i chdi.'

'Y be?'

'Y Cenal. Tyrd.' Troes Mici i'r chwith gan ddringo dros y twyni. Ochneidiodd Lisa a'i ddilyn nes cyrraedd copa craig wastad, lydan yn edrych i lawr dros y traethau. Tyfai glaswellt drosti, gydag ambell dwll tywod yma a thraw, ac roedd sgrin uchel o redyn yn cuddio'r fan o olwg y ffordd i'r traeth.

'Ta-ra!' canodd Mici. 'Croeso i'r Cenal!'

Edrychodd Lisa o'i chwmpas. 'Neis iawn. Pam y Cenal?'

Eisteddodd Mici gan dynnu paced o Marlboro o boced ei siaced. 'I fan 'ma fydd y cŵn i gyd yn dŵad,' eglurodd.

Camodd Lisa'n ei hôl yn sydyn, gan edrych i lawr ar y glaswellt fel petai'n disgwyl ei weld yn faw ci i gyd.

'Pa blydi cŵn?'

'Yr hogia'n dê!' chwarddodd Mici. 'Y cŵn drain, fel ma' dy Ffocsi di'n licio 'ngalw i. I fan'ma fyddan ni'n dŵad â bodins Saesnag, pan fyddan ni'n ddigon lwcus i ga'l gafa'l ar rei.' Curodd y ddaear wrth ei ymyl. 'Tyrd, stedda.'

Ufuddhaodd Lisa. 'Ydw i'n saff, dywad?' gofynnodd yn gellweirus wrth dderbyn sigarét.

'Ddim o gwbwl, hogan.' Crafodd Mici fatsen ar sip ei falog, er bod bocs digon derbyniol ganddo ar gyfer hynny. Sytl, Jos, fe'i canmolodd ei hun. Cuddiodd y fflam y tu mewn i'w gledr tra gwyrai Lisa ymlaen i gynnau'i sigarét hi. Ychydig iawn o golur a wisgai Lisa heddiw, a rhyfeddodd Mici wrtho'i hun gymaint tlysach roedd hi hebddo. Sylwodd fel roedd blew hirion ei hamrannau'n crynu'n ysgafn fel adain iâr fach yr haf, ac fel y pantiai ei bochau wrth iddi dynnu ar ei sigarét. Teimlai fel codi'i law i'w hanwesu ond ymsythodd Lisa, a darfu'r ennyd.

'Yli pa mor agos ydi Harlach heddiw.' Pwyntiodd Lisa dros y bae at y castell oedd i'w weld yn glir yn y pellter.

'Ia. Arwydd o law, meddan nhw.'

'Glaw! Paid â siarad mor thic, Mici. Does 'na ddim cwmwl yn yr awyr—sbia.'

'Nag oes, dw i'n gwbod, ond golwg glaw sy arni hi pan wyt ti'n gallu gweld yn glir ac yn bell fel hyn.'

'Ia, ia. Hogyn da rŵan, Mici.'

'Dw i'n deud wrtha chdi, hogan. Faint o fet y bydd hi'n stido bwrw cyn fory?'

Gwthiodd Lisa ef hefo'i hysgwydd. ''Ti'n bownd o ennill. Ma' hi'n bwrw bob yn ail ddiwrnod fel ma' hi. Eniwe, fydda i byth yn betio—os nad ydi Ffocsi'n talu.'

'Oes raid i chdi sôn am hwnnw?'

'Pam? Dw i'n mynd allan efo fo'n dydw?'

'Efo fi wyt ti rŵan, ddim Ffocsi.'

'Ond dw i'm yn *mynd* efo chdi, yn nac dw? 'Mond dŵad yma am dro bach efo chdi wnes i.' Dawnsiai goleuni bach direidus yn llygaid Lisa wrth iddi wynebu Mici. ''Mond dau ffrind yn lladd amser efo'i gilydd ydan ni. Yndê, Mici Jones?'

'Os 'ti'n deud, Lis.' Ceisiodd Mici chwythu cylch o fwg, ond roedd gormod o awel yma ar ben y graig.

'Est ti allan efo Gwenno Lloyd wedyn?' gofynnodd Lisa.

'Pam?'

'Isio gwbod dw i. Est ti?'

'Ella . . .'

108

'Naddo, est ti ddim. Ne mi fasa chdi'n deud. Ma' hi'n rêl blydi snoban fach, honno.'

'O, roedd hi'n ddigon clên wrtha i. Doedd 'na'm byd snobi ynddi hi'r noson honno, coelia di fi.' Gwenodd Mici'n llawn awgrym, gan daro winc fudr ar Lisa. Ni wenodd Lisa'n ôl.

'Ma' hi'n mynd allan efo'r pwff 'na sy'n fform sics, eniwe.'

'Dydi o'm yn bwff os ydi o'n mynd allan efo genod, siawns.'

'Ma' pawb sy'n mynd i fform sics yn bwffs,' datganodd Lisa. 'Yn bwffs ac yn snobs.' Gorffennodd ei sigarét a thaflodd y stwmp allan dros ochr y graig.

Dechreuodd Mici bwffian chwerthin.

'Be sy rŵan eto?' holodd Lisa.

'Dy weld di'n taflu'r ffag 'na sy wedi'n atgoffa i o Now Bach erstalwm.'

'Pwy?'

'Rhyw foi o'r Borth 'ma. Roedd o'n casáu Saeson, a wyddost ti be 'nath o un ha'?' Ysgydwodd Lisa'i phen. 'Llenwi condom efo dŵr a'i gollwng hi i lawr ar deulu o Saeson oedd wrthi'n ca'l picnic wrth droed un o'r creigia 'ma.'

Chwarddodd Lisa. 'Cês! Oeddat ti yno?'

'Na—clywad amdano fo wnes i. Roedd hyn flynydd-oedd yn ôl, cofia. Ond faswn i wedi rhoi rhwbath i ga'l gweld wyneba'r Saeson 'na.'

Gwenodd Lisa, yna sobrodd yn sydyn. 'Welis i chdi'n mynd allan o'r Queens efo hi.'

'Be?' Tybiodd Mici iddo lwyddo i droi'r stori, ond roedd yn amlwg iddo fethu. Pam oedd Lisa'n mynnu hefru am hynny?

'Efo'r Gwenno Lloyd 'na. Ac ro'n i 'di bod yn gwatshiad y ddau ohonoch chi'n dawnsio ers oria.'

Edrychodd Mici arni. Roedd Lisa'n syllu allan dros y môr, ei hwyneb yn galed.

'Lisa,' meddai Mici'n araf, ''taswn i ddim yn gwbod yn well, mi faswn i'n deud dy fod di'n jelys.'

Cododd Lisa'i hysgwyddau'n swta. 'Meddylia di be 'ti isio, dim ots gen i.'

Teimlodd Mici'r cyffro'n dechrau cosi'i fol o. ''Ti newydd neud pwynt o'n atgoffa i dy fod di'n mynd efo Ffocsi. Pa ots oedd o i chdi 'mod i wedi mynd efo Gwenno Lloyd?'

Ddywedodd Lisa ddim. Yn araf, cododd Mici'i fraich dde nes ei bod yn gorffwys ar ei hysgwyddau. Teimlodd ei chorff yn tynhau ychydig.

'Oeddat ti'n jelys, Lis?'

'Wyt ti'n jelys 'mod i'n mynd allan efo Ffocsi?'

'Wel . . . mi fasa'n well gen i 'sa chdi ddim, 'ndê,' atebodd Mici, er nad oedd wedi poeni'n ormodol am hynny mewn gwirionedd.

Closiodd Lisa'n nes ato. 'Dw i am orffan efo Ffocsi,' meddai'n dawel.

'Wyt ti?'

Nodiodd Lisa.

'A be . . . ' cychwynnodd Mici, ond roedd yn rhaid iddo glirio'i wddf. 'A be wedyn?'

'Dw i am orffan efo fo . . . os wyt ti isio imi neud.'

'A mynd allan efo fi?' Gwasgodd Mici'i hysgwydd cyn troi ei ben i daro cusan ysgafn ar ei gwddf.

'Dw i'n licio chdi'n fwy na Ffocsi, Mic. 'Ti'n cofio pan aethon ni allan efo'n gilydd o'r blaen, pan oedd o'n sâl? Do'n i'm isio iddo fo fendio o gwbwl.'

'Na, dw i'n gwbod,' cytunodd Mici'n gelwyddog. 'Do'n inna ddim chwaith, Lis.' Cusanodd ei gwddf eilwaith a theimlodd ei chorff yn crynu. 'Lis . . . ?'

Troes Lisa i'w wynebu'n llawn a chusanodd Mici hi, gan deimlo'i gwefusau'n agor mor barod o dan ei rai ef a'i thafod yn chwarae mig â'i dafod yntau. Cododd ei fraich chwith nes ei fod yn ei chofleidio'n llawn a rhedodd hithau'i bysedd drwy'i wallt. Ochneidiodd

110

Lisa'n drwm i'w geg pan wthiodd Mici'i law i mewn i'w siaced i afael yn ei bron; torrodd y gusan am eiliad er mwyn ei dynnu i lawr gyda hi nes eu bod yn wynebu'i gilydd, ochr yn ochr, ar y glaswellt. Troes Mici'n un cyffro gwyllt o'i gorun i'w sawdl pan gododd ei siwmper a'i chrys-T i ddarganfod nad oedd Lisa'n gwisgo bronglwm. Gwthiodd ei phelfis yn ei erbyn gan riddfan yn dawel o waelod ei gwddf, a mentrodd Mici adael i'w law grwydro i lawr dros ei bol nes cyrraedd botwm ei jîns.

Torrodd Lisa'r gusan eto. 'Paid, Mic . . . ddim rŵan.'

'Ond, Lis—!'

'Fedran ni ddim. Ddim heddiw.'

'Blydi hél, Lisa—!'

'Dw i . . . dw i ar, Mic. 'Ti'n dallt?'

'O!' Cipiodd Mici'i law i ffwrdd fel petai wedi'i losgi. Chwarddodd Lisa, gan ailafael yn ei law a'i dychwelyd i gynhesrwydd ei bron.

'Dim AIDS sy gen i, 'sti,' gwenodd arno.

Gwenodd Mici'n ôl. 'Diolch i Dduw. Mi fasa'n gas gen i ddal hwnnw eto.'

Trawodd Lisa'i gefn. 'Mici Jones, 'ti'n hollol sic!'

Dechreuodd y ddau gusanu eto, ond yn arafach y tro hwn.

Pam wnes i ddiodda Ffocsi cyhyd? meddyliodd Lisa. Dw i wedi bod isio mynd efo Mici erstalwm. A 'sgen i ddim ofn deud wrth Ffocsi 'mod i isio gorffan efo fo, chwaith, ddim a minnau'n gwbod 'mod i'n mynd allan efo Mici Jones rŵan.

Efallai fod Ffocsi wedi bachu'r job ro'n i'i hisio, meddyliodd Mici, ond dw i wedi bachu'i fodan o. A ph'run bynnag, 'mond rhwbath dros dro ydi'r job honno.

* * * * * *

Methodd Arwel gael hyd i Carys Wyn yn ystod egwyl y prynhawn, er iddo chwilio'r ysgol o un pen i'r llall amdani. Lle goblyn oedd yr hogan?

Ar ôl crwydro i fyny ac i lawr y cynteddau am y trydydd tro, cofiodd yn sydyn i Gwenno sôn unwaith bod Carys yn arfer mynd i'r lle chwech am smôc bob amser chwarae, fwy na heb. Wrth gwrs! Edrychodd Arwel ar ei wats. Dim ond rhyw ddau funud, ar y mwyaf, oedd i fynd tan ddiwedd yr egwyl. Piciodd yn ôl i doiledau'r merched.

Ceisiodd gymryd arno'i fod yn darllen y cyhoeddiadau ar yr hysbysfwrdd gyferbyn â'r toiledau, ond gan ei fod yn troi'i ben fel alarch i gyfeiriad y drws bob tro yr agorai hwnnw llwyddodd i dynnu sylw ato'i hun fwy na dim arall. Daeth dwy eneth allan gan edrych arno fel rhywbeth amheus roeddynt newydd ei ddarganfod ar waelodion eu hesgidiau.

'Pyrf!' meddai un ohonynt wrtho.

'Be . . . ?'

'Pyrf!' adleisiodd ei chyfaill. 'Pam na wnei di sefyll ar ben cadair yn yr iard a sbio i mewn trwy'r ffenast, tra wyt ti wrthi?'

'Disgwl am rywun dw i . . . ' ceisiodd Arwel ei amddiffyn ei hun, ond gydag un edrychiad dilornus i'w gyfeiriad cerddodd y genod i ffwrdd, eu trwynau yn yr awyr.

Canodd y gloch wedyn, ac oedodd Arwel heb wybod pa lin i'w gosi wrth i'r plant a'r bobl ifainc lifo heibio iddo ar hyd y cynedd. Roedd ar fin mynd i'w wers pan welodd Siân Hefina, un o ffrindiau Carys, yn brysio i'w gyfeiriad, bag ymarfer corff yn ei llaw.

'Ma' hi yn y jim,' dywedodd Siân wrtho dros ei hysgwydd wrth frysio i gyfeiriad y gampfa. 'Pam—pwy sy isio'i gweld hi? Rhywun pwysig?'

'Y . . . naci. Fi . . . '

'O, Duw!'—cystal â dweud, neb o bwys felly. Diflannodd Siân o'r golwg, ac aeth Arwel i'w wers yn teimlo'n fethiant llwyr.

Ar ddiwedd y prynhawn, fodd bynnag, roedd yn sefyll y tu allan i'r gampfa'n gweddïo na fyddai Carys yn oedi gormod cyn dod allan, ac yntau â bws i'w dal. Ymddangosodd yr eneth ar ôl pum munud o ddisgwyl, ei gwallt golau'n dywyll ar ôl dŵr y gawod.

'Be wyt *ti* isio?' meddai pan welodd Arwel.

Doedd hyn ddim yn gychwyn addawol, ond dyfal donc a dyr y garreg.

'Isio gair efo chdi, os ga i, Carys . . .'

'Na chei.'

'Be?'

'Na chei. 'Sgen i'm byd i ddeud wrtha chdi.' Cychwynnodd Carys Wyn i ffwrdd ond gafaelodd Arwel yn ei bag a'i rhwystro.

'Be dw i wedi *neud*?' meddai'n uchel, gan beri i dair o enethod eraill droi i edrych arno.

''Ti'n gwbod yn iawn be wyt ti 'di neud!' Ysgydwodd Carys ei law i ffwrdd oddi ar ei bag. 'Paid â chyffwrdd yna' i . . .'

Collodd Arwel ei amynedd. Roedd wedi cael hen ddigon.

'Gwranda'r ffurat!' meddai. 'Yr unig beth dw i'n wbod ydi dy fod di wedi bod yn sbio arna i efo gwenwyn pur oddi ar i Gwenno orffan efo fi. Dwn i'm be ma' hi wedi ddeud wrtha chdi amdana i, ond yr unig beth dw i isio gen ti ydi ca'l gwbod be sy'n bod efo hi. Dydi hi ddim wedi bod ar gyfyl yr ysgol 'ma ers wsnos, a faswn i'n licio gwbod be sy. Iawn?'

Rhythodd Carys Wyn arno fel petai'n methu coelio'i chlustiau.

'Arglwydd, ma' gen ti wynab!'

'Be . . . ?'

'Sud fedri di sefyll yma'n gofyn i mi be ydi'r matar efo Gwenno . . . !'

'Ond dw i ddim yn gwbod!' meddai Arwel. 'Y hi ddaru

113

orffan efo fi, Carys. Do'n i ddim isio gorffan. Dw i'n dal i'w licio hi—mi faswn i'n mynd yn ôl efo hi fory nesa 'tawn i'n ca'l cyfla. Felly ma'n naturiol imi boeni amdani hi'n dydi?'

Edrychai Carys arno'n gegagored.

'Yli, ma' 'mỳs i ar fin gada'l,' meddai Arwel. 'Jest deud wrtha i, Carys—ydi hi'n iawn? Ydi hi'n O.K.?'

'O.K.? Debyg iawn 'i bod hi ddim yn O.K.!'

'Ond pam? Os ydi hi'n giami iawn, ella basa'n well i mi biciad i edrach amdani hi . . . '

Chwarddodd Carys Wyn yn uchel a dihiwmor. Meddyliodd Arwel yn siŵr fod y gloman wirion yn drysu.

'Tŷ Gwenno ydi'r lle dwytha gei di groeso—y chdi o bawb!' chwarddodd Carys. Yna peidiodd, ac edrychodd arno. 'Dwyt ti ddim yn gwbod, yn nag wyt?'

'Gwbod be? Yli . . . '

'Mi ddudodd Gwenno mai ddim y chdi 'nath hefyd, ond ro'n i'n meddwl ma' dy amddiffyn di roedd hi.'

'F'amddiffyn i? Pam? Be dw i heb neud? Carys . . . '

Edrychodd Carys Wyn o'i hamgylch i sicrhau bod neb yn gwrando arnynt. 'Gwranda—mi fasa Gwenno'n fy lladd i 'tasa hi'n ffeindio allan 'mod i wedi deud wrtha chdi . . . '

Nefi Wen! meddyliodd Arwel. 'Deud *be?*' meddai rhwng ei ddannedd.

'Sori, Arwel, Ond . . . ond ma' Gwenno wedi mynd i ga'l aborshiyn.'

Pennod 10
ADFYW

Gorweddai Gwenno ar ei hochr yn ei gwely, efo'i chluniau wedi'u tynnu'n dynn ati nes eu bod bron iawn yn cyffwrdd ei bol, yn gwrando ar y tŷ'n anadlu. Roedd wedi darllen am hynny mewn stori arswyd, heb ddeall yr arwyddocâd. Tan heno. Teimlai fel petai'n gorwedd yn ddiogel ym mreichiau rhyw fod mawr, hollalluog na fyddai fyth—byth!—yn caniatáu i neb na dim ei brifo na'i bygwth. Gallai deimlo'r fron gadarn yn codi ac yn syrthio odani, a chlywai'r anadlu ysgafn ond pendant, fel awel haf trwy ddail y coed, yn ceisio'i suo i drwm-gwsg.

Buasai wedi llwyddo i wneud hynny, hefyd, oni bai am yr Ofn. O'i herwydd ef, gorweddai Gwenno ar ei hochr chwith, yn wynebu'r pared. Ceisiodd orwedd ar ei chefn ar ôl iddi ddiffodd ei golau, ond gwelodd yr Ofn ei gyfle a glaniodd ar ei bron, gan blannu'i grafangau yn ei chnawd a chwythu'i ddrewdod cyfarwydd i'w hwyneb wrth grechwenu'n fuddugoliaethus yn nhywyllwch yr ystafell.

Gwyddai Gwenno mai ymbaratoi i bigo'i llygaid allan o'i phen roedd yr Ofn, felly troes ar ei hochr gan wasgu'i llygaid ynghau. Teimlodd yr Ofn yn codi ryw fymryn, ond gwyddai mai ond fflapian yn fud uwch ei phen, yn ôl ac ymlaen roedd yn ei wneud. Byddai'n setlo'n ôl arni i ddeor ei hunllefau'n syth bin petai'n cael hanner siawns.

Roedd bellach yn oriau mân y bore, a'r byd y tu allan i'r tŷ'n dawel a llonydd. Dim ond ychydig oriau oedd i fynd nes toriad gwawr. Troes Gwenno'i phen yn sydyn i edrych ar rifau electronig ei chloc-radio'n wincian arni'n goch—02:18. Roedd yn barod yn tynnu at ugain munud wedi dau'r prynhawn yn Seland Newydd, meddyliodd. Petai'n hynny o'r gloch yma, rŵan, byddai pob dim drosodd.

Gwibiodd y dyddiau diwethaf heibio, gan adael ond brith gof ohonynt ym meddwl Gwenno, fel ambell olygfa o ffilm y bu ond yn hanner ei wylio. Ni fu'n pendroni llawer cyn penderfynu; gwyddai'n awr iddi wneud hynny cyn gadael lle'r meddyg—cyn mynd yno, hyd yn oed. Ond roedd y sgwrs a gawsai yn y car efo'i mam yn hanfodol, ac roedd yn ddiolchgar iddi am leisio'r union feddyliau fu'n gwibio trwy'i phen hi'i hun ers ni wyddai pa bryd. Llwyddodd ei mam hefyd i ladd unrhyw euogrwydd cyn iddo fedru tyfu'n iawn y tu mewn iddi . . .

Teimlodd yr Ofn yn nesáu ati ychydig, a gwthiodd ef yn ôl trwy feddwl am wyneb ei mam pan ddatgelodd Gwenno beth oedd ei phenderfyniad. Heblaw am un edrychiad chwim tuag ati, dawnsiodd llygaid Glenda i bob man ond i'w rhai hi.

'Wyt ti'n siŵr?'

'Yndw . . . '

'Yn *berffaith* siŵr?'

'Yndw, Mam. Wir yr, rŵan.'

'Dwyt ti ddim isio mwy o amsar i . . . feddwl amdano fo? Cofia be ddudodd y doctor.'

'Dw i'n bendant, Mam.' Peidiwch â phoeni, Mam, y fi sy wedi penderfynu, y fi a neb arall. Dydw i 'rioed wedi bod mor siŵr o unrhyw beth. 'Rioed.'

Gallai deimlo'r rhyddhad fel presenoldeb byw rhyngddynt. Llifodd o'i mam ac i mewn iddi hithau. Cododd Glenda'n sydyn ac aeth allan i'r ardd gefn at Ieuan a Gwion. Ymhen ychydig eiliadau daeth ei thad i mewn ati.

'Peidiwch â gofyn imi a ydw i'n siŵr,' meddai wrtho.

'Do'n i ddim yn bwriadu gneud y ffasiwn beth. Dŵad yma i drafod sud ma'r bunt yn gneud yn erbyn y ddoler wnes i.' Gwenodd Ieuan arni, am y tro cyntaf ers dyddiau.

Wrth iddi'i gofleidio, synhwyrodd Gwenno ychydig o bersawr ei mam ar ei ddillad a gwelodd smotyn gwlyb ar ysgwydd ei grys; teimlai fel chwerthin a chrio'r un pryd.

* * * * * *

Trefnwyd popeth drosti. Doedd dim rhaid iddi hi godi bys. Roedd fel petai'r byd i gyd yn mynd o gwmpas efo'r dywediad 'gorau po gyntaf' ar ei wefusau. Rhag ofn iddi ailfeddwl, hwyrach? dyfalodd Gwenno. O, doedd 'na ddim peryg o hynny, mi fedrai pawb fforddio cymryd pethau'n fwy ara deg.

Galwodd Carys Wyn i'w gweld un noson, ac eisteddai'r ddwy ar wely Gwenno yn gwrando ar dapiau.

'Wneith o ddim brifo, yn na wneith?' gofynnodd Carys.

Ysgydwodd Gwenno'i phen. 'Ddim yn ôl be oedd y doctor yn 'i ddeud. Fydda i'n gwbod dim byd am y peth, medda fo.'

Er bod y gerddoriaeth yn weddol uchel ganddynt, siaradai'r ddwy'n isel, rhag ofn i Glenda neu Ieuan ddigwydd mynd heibio'r drws a'u clywed. Doedd Carys, wrth gwrs, ddim i fod i wybod unrhyw beth; petai'i rhieni'n darganfod bod Carys wedi cael gwybod o'u blaenau hwy, caent eu brifo'n ddifrifol, gwyddai Gwenno.

'Ma'n brifo'n ofnadwy i *ga'l* babis, yn dydi?' meddai Carys.

'Dw i'm isio gwbod, diolch yn fawr, Carys.'

'Sori . . . do'n i'm yn meddwl dim byd. Damia!'

gwylltiodd, gan ei tharo'i hun yn ei chlun. 'Y fi â 'ngheg fawr eto. Sori, Gwen. Siarad cyn meddwl wnes i—fel arfar.'

'Ma'n iawn.'

Dynwaredodd Carys lais Eilir Huws. 'Mae gan Carys y duedd anffodus i wibio'i brawddegau ar bapur heb yn gyntaf feddwl yn ofalus am eu cynnwys.' Winciodd ar Gwenno, gan ddynwared yr athro ymhellach. 'Rhaid harnesu hyn cyn sefyll yr arholiad terfynol . . .'

Chwarddodd y ddwy. Be sy'n bod arna i? holodd Gwenno'i hun. Dydw i ddim i fod i fedru chwerthin yn iach fel hyn siawns. Dylwn i fynd o gwmpas y lle'n edrych 'run fath â Meryl Streep neu rywun.

Soniodd Carys Wyn 'run gair wedyn am yr hyn oedd i ddod—nac ychwaith am yr hyn oedd eisoes wedi digwydd. Roedd fel petai'n bwrpasol yn osgoi'r peth, wedi iddi roi'i throed ynddi mor fendigedig ar gychwyn y noson.

Cyn gadael, fodd bynnag, cofleidiodd Gwenno a'i gwasgu'n dynn. 'Mi fydd pob dim yn O.K., 'sti. Mi eith y ddwy ohonan ni allan am uffar o noson dda cyn bo hir, a bygro pawb arall.'

Wedi i Carys fynd, sylweddolodd Gwenno nad oedd unwaith wedi pysgota ynglŷn â phwy oedd y tad. Cofiodd fel y bu hi Gwenno'n ddigon swta efo Carys am gychwyn gwneud hynny y bore Sadwrn hwnnw ar y Cob Crwn. Efallai'i bod wedi penderfynu mai Arwel oedd y tad, meddyliodd, er iddi ryw led awgrymu nad hwnnw oedd o.

Tynerai bob tro y meddyliai am Arwel yn ddiweddar. Doedd dim bai arno fo o gwbl; yr unig beth a wnaeth y creadur oedd bod mor ofnadwy o *boring*. Mi fuasai wedi gorffen ag o p'run bynnag. A phetai'r berthynas heb hen chwythu'i phlwc, yna go brin y buasai wedi mynd efo Mici Jones . . .

Na!

Troes Gwenno'n awr ar ei hochr dde, yna'n ei hôl yn sydyn ar ei hochr chwith. Doedd hi ddim am feddwl amdano fo! Sori, Arwel, dw i'n sori-sori-sori, dw i 'di bod yn stiwpid ac yn hen fitsh fach gas greulon efo chdi . . .

Clywodd ddrws ei llofft yn agor yn dawel.

'Gwenno?'

Ei mam. Gwelodd Gwenno'i siâp yn y drws pan droes tuag ato: dim smalio cysgu heno.

'Wyt ti'n iawn, pwt?'

'Yndw . . . ' Ond bradychodd ei llais hi. Gwelodd fraich Glenda'n codi i chwilio am y golau.

'Cau dy ll'gada, dw i am roi'r gola mlaen.'

Ufuddhaodd Gwenno. Llosgai'r golau drwy'i hamrannau am eiliad, yna teimlodd bwysau'i mam ar y gwely. Agorodd ei llygaid i weld Glenda'n rhwbio'i rhai hi, ei gwallt yn fieri gwyllt a'i gŵn nos dros ei choban. Sylwodd Gwenno'i bod wedi cau'r drws ar ei hôl.

'Sori os wnes i'ch deffro chi.'

'Be . . . ?' Roedd Glenda'n dylyfu'i gên. 'O—wnest ti ddim. Ro'n i'n methu'n glir â chysgu, er 'mod i jest â marw isio gneud. 'Titha 'run fath?' Nodiodd Gwenno. Er bod y golau ymlaen, a'i mam yn eistedd wrth ei hochr, nid oedd yr Ofn wedi gadael yr ystafell. Roedd yn dal yno'n rhywle, yn llechu y tu ôl i'r llenni, hwyrach, neu ar ben yr wardrob.

''Sgen ti awydd panad? Tyrd—awn ni i lawr i'r gegin, cyn inni ddeffro Gwion.'

Sleifiodd y ddwy fel lladron i lawr y grisiau, gan gamu dros y rhai gwichlyd. Yng ngolau dydd ffug y ffliworoleuo, edrychai'r gegin, am un eiliad frawychus, mor lân a swyddogol i Gwenno â theatr llawfeddygaeth. Bu Glenda Lloyd yn hynod o brysur yn ystod y dyddiau diwethaf, gan lanhau a golchi popeth drosodd a throsodd.

'Steddwch i lawr. Mi wna i de,' gorchmynnodd

Gwenno. Roedd y tegell wedi'i lenwi'n barod, a'r bwrdd wedi'i osod ar gyfer y bore, gyda chyllell a fforc a photel saws HP gerbron cadair Ieuan, a dysglau grawnfwyd i bawb arall. Pawb, heblaw am Gwenno. Fe'i siarswyd gan y meddyg i beidio â bwyta tan ar ôl yr . . .

'Be am Dad?' gofynnodd Gwenno. Tywalltodd lefrith i mewn i ddau fŵg a gwasgodd ddwy bilsen Hermesetas i un ei mam.

'Be?'

'Y chi ddudodd, pan oeddan ni yn y llofft, i ni ddŵad i lawr yma rhag ofn i ni ddeffro Gwion. Be am Dad?'

Edrychodd Glenda ar ei merch, gan ryfeddu iddi sylwi ar hynny. Un siarp fel rasal fu hi erioed.

'Ma' dy dad yn effro, fath â finna.'

'Ydi o isio panad?'

'Nac 'di. Ma' panad hwyr yn codi dŵr poeth arno fo, medda fo. Chysgith o'r un winc wedyn.'

'Dad druan.'

'Ia. Dad druan.'

Tra disgwyliai i'r tegell orffen ochneidio, edrychodd Gwenno ar ei mam yn eistedd wrth y bwrdd gegin, ei gŵn nos wedi'i lapio fel cocŵn amdani. Roedd ei gwallt, a oedd mor debyg i'w un cyrliog du hi pan oedd ar ei orau, yn drwsgwl lipa, efo sawl blewyn llwyd yn bloeddio'n hy ohono: ffrâm ddigon ffwrdd-â-hi i'w hwyneb blinedig. Roedd yn amlwg iddi dreulio nosweithiau hirion a'i chorff fawr mwy na phlisgyn lluddedig i'r meddyliau a wibiai'n wyllt drwy ei phen. Eisteddai'n awr yn cnoi'r ewin ar ei bys bach, ei meddwl ar garlam eto.

Dw i isio bod yma, meddyliodd Glenda, dw i isio bod yma efo Gwenno, ond ar yr un pryd dw i'n ofni bod ormod yn ei chwmni rhag ofn iddi hi feddwl 'mod i'n ffysian drosti, a thrwy hynny'n defnyddio rhyw flacmél emosiynol. Dw i ddim isio iddi hi feddwl amdana i fel rhyw hen iâr sy wastad yn fflapian o'i chwmpas hi, yn gofalu'i bod am wneud y peth iawn. Mae'n gallu bod yn styfnig fel mul ar brydiau, ac mae arna i ofn iddi newid ei meddwl er mwyn mynd yn groes i'n ewyllys i, i ewyllys pawb. Dw i wedi mynd, mae arna i ofn sbio arni hi'n llawn, hyd yn oed, rhag ofn iddi ddychmygu'i bod yn gweld balchder yn fy llygaid i am iddi wneud y penderfyniad iawn.

'Dad druan'—dyna'i geiriau hi, ac mae hi yn llygad ei lle. Mae Ieuan wedi cael ei frifo i'r byw gan yr hen fusnas 'ma, a gen i'n fwy na neb. Mae o'n deud ei fod o wedi madda imi am beidio â siarad efo fo ynghynt, a'n bod ni'n ffrindia unwaith eto, ond mi fedra i weld yn ei lygaid na fydd o fyth am anghofio.

Dw i isio iddo fo afael yna' i fel dw i'n ysu am gael gafael yn Gwenno, ond wneith o ddim. Fedar o ddim ar hyn o bryd, dw i ddim yn meddwl, ddim mwy na dw innau'n gallu gafael yn Gwenno. Rŵan, a ninna i gyd â mwy o angan cysur nag erioed, does 'na'r un ohonan ni'n gallu estyn ei freichia allan i'r llall, ddim yn llawn.

O'r Arglwydd—pam na fasa chdi wedi gallu deud wrtha i'n gynt, Gwenno? Mi faswn inna wedyn wedi gallu deud wrth Ieuan. Pam oedd raid i chdi fod mor flêr . . .

Troes yn sydyn at ei merch, yr holl gyhuddiadau hyn yn barod i ffrwydro'n uchel dros y gegin, ei llygaid yn llydan ac yn llosgi hefo'r dicter a grëwyd ganddynt.

Roedd Gwenno wrthi'n arllwys te i'r ddwy ohonynt, ei thafod yn sbecian allan rhwng ei gwefusau fel y gwnâi wrth ganolbwyntio ar unrhyw weithred. Gwelodd Glenda pa mor ifanc oedd ei merch mewn gwirionedd a diflannodd yr holl gyhuddiadau cas i ddyfnderoedd ei meddwl. O'r gora, pwt, meddyliodd, mi fuost yn flêr ac yn wirion bôst, ond wela i'r un rheswm pam y dylet ti dalu am hynny am weddill dy oes. Rwyt ti'n rhy ifanc i fod yn fam, a Duw a ŵyr dw inna'n rhy ifanc i fod yn nain. Does 'na'r un ohonan ni'n barod am hynny eto.

Daeth Gwenno â'r te i'r bwrdd, ac eisteddodd. Caeodd

Glenda'i llaw am un ei merch.

'Paid â phoeni am fory, pwt. Mi fydd pob dim yn iawn, gei di weld.'

Rhyddhaodd Gwenno'i llaw a gafaelodd yn ei mẁg. 'Bydd, dw i'n gwbod,' meddai.

Edrychodd Glenda arni'n sipian ei the a golwg mor ddi-hid arni, a lladdodd y demtasiwn i estyn ar draws y bwrdd a rhoi slasan iawn iddi ar draws ei hwyneb. Mae'n dal i 'ngwrthod i! meddyliodd. Dduw Mawr, gwna i fory ddŵad yn sydyn, a rho ddigon o nerth imi wynebu'r dyddia sydd i ddod heb neud smonach iawn o betha.

* * * * * *

Roedd pawb mor glên, mor rhyfeddol o glên a threfnus.

'Dydi o ddim 'run fath â chlinic, yn nac 'di, Mam?' meddai Gwenno. 'Ma' hon fath â'r stafall ges i yn y *chalets* 'na fuon ni'n aros ynddyn nhw'n Ardal y Llyn-noedd, yn dydi? 'Dach chi'n cofio? Ond fod hon yn lanach. Ac mae'r tywydd yn brafiach heddiw nag oedd hi'n fan'no drwy'r wsnos.' Gwenodd. ''Dach chi'n cofio Dad yn deud 'sa waeth inni fod wedi mynd i 'Stiniog ar 'yn gwylia ddim? Dim rhyfadd fod yna gymaint o lyn-noedd yn y lle, medda fo, efo'r holl law . . .'

Eisteddodd ar y gwely. Daeth haul cryf y prynhawn gaeaf i mewn trwy'r ffenestr, ei belydrau'n wag o lwch.

'Yndi—neis iawn,' gorffennodd yn wan. Roedd y braw i'w weld yn glir yn ei hwyneb wrth iddi bigo darn o edau oddi ar y gobennydd.

Safai Glenda fel llwdwn y bendro yng nghanol y llawr. Roedd bywyd yn chwerw, meddyliodd; dyna'r ddwy ohon-ynt yn troi a throsi o gwmpas ei gilydd yn ofni gwneud a dweud y pethau iawn, rhag ofn i'r llall ei gwrthod a'i brifo fwyfwy. Mewn stori fach neis buasai'r fam a'r ferch yn cofleidio'i gilydd, un yn sibrwd pob cysur posib a'r llall yn eu hyfed yn ddiolchgar.

'Yndi—ma' pawb yn ffeind iawn yma,' sylwodd yn llipa.

'Yndyn, gobeithio,' atebodd Gwenno. 'Dyna ydi'u jobs nhw'n dê? Bod yn neis wrth bobol fath â fi. 'Run fath â gweinidogion. Bod yn neis wrth bawb ydi jobs y rheini hefyd.' Edrychodd ar ei horiawr. 'Fyddan nhw ddim yn hir rŵan . . . ma'n siŵr mai fel hyn ma' rhywun sy ar fin ca'l 'i grogi'n teimlo'n dê?' Edrychodd i fyny ar Glenda. 'Mam . . . '

'Be, pwt?'

Ysgydwodd ei phen. 'Dim byd. 'Mond . . . '

''Mond be?' Yna deallodd Glenda. 'O! Isio imi fynd wyt ti. Sori . . . '

'Pidiwch â deud ''sori''. Mi fyddan nhw yma toc, eniwe, a rhaid i mi ga'l fy hun yn barod . . . '

'Bydd, debyg iawn. 'Mond tu allan fydda i, yli . . . '

Gwenodd Gwenno. 'Mae o fath â pan oeddach chi'n mynd â fi i lle Erfyl Dentust erstalwm, yn dydi? Disgwl tu allan roeddach chi'r adag honno hefyd . . . ' Diflannodd y wên. '. . . tra o'n i'n ca'l mada'l o rwbath oedd yn boen ac yn niwsans.'

'Hei, hei—tyrd o'na rŵan.' Am eiriau anobeithiol! melltithiodd Glenda. Gwyrodd i gusanu Gwenno, a throes honno'i phen er mwyn cynnig ei thalcen i wefusau'i mam. *Dduw Mawr! Be dw i wedi'i neud? Mi faswn i'n cymryd dy boen di i gyd 'tawn i'n gallu, Gwenno fach, 'tasa chdi ond yn gadael imi. Dwyt ti na finna erioed wedi teimlo mor unig o'r blaen. Does dim rhaid inni deimlo fel hyn.*

Y weithred anoddaf a gyflawnodd erioed oedd cau'r drws ar yr ystafell fechan, lân, ac ar y ffigwr unig, pell a eisteddai ynddi ar ochr y gwely.

* * * * * *

Gorweddai Gwenno'n gwylio bys eiliadau ei horiawr yn crwbanu'i ffordd o amgylch yr wyneb. Roedd y gobennydd dan ei phen yn dew ac yn esmwyth, ac yn arogli'n gryf o bowdr golchi.

Teimlai'n flin â hi'i hun am fod mor swta efo'i mam. Er hynny gwyddai'n iawn, petai'n cael ail-fyw'r munudau diwethaf, y byddai'n ymddwyn yn union yr un modd.

Dydi hi ddim yn rhy hwyr i mi newid fy meddwl, meddyliodd. Mi ga i godi o'ma rŵan a mynd adra, a does 'na ddim byd y gall neb ei neud i'm rhwystro i, ac erbyn tua diwedd mis Mehefin mi fydda i'n . . .

Na. Dw i ddim isio meddwl fel 'na. Dw i wedi hel Mam druan allan er mwyn imi neud yn siŵr 'mod i ddim yn meddwl fel 'na. Dw i'n gwbod yn iawn am be dw i isio meddwl, am be y mae'n *rhaid* i mi feddwl.

Y Queens.

Y disgo.

Y fo.

Rhaid i mi. Os dw i am beidio â newid fy meddwl, yna rhaid i mi feddwl yn ôl. A chofio.

Mici.

Mici Jones. Mici-Jones-Mici-Jones-Mici-Jones . . . Sibrydodd Gwenno'i enw i'r gobennydd, drosodd a throsodd. Teimlai'r enw'n ddieithr ar ei gwefusau; roedd wedi llwyddo'n arbennig o dda i'w gadw yng ngwaelod ei hymwybod dros yr wythnosau diwethaf. Yn ogystal â'i lais. A'i wyneb. A'i wên.

Doedd Arwel ddim yn un am ddisgos. Yn wir, doedd Arwel yn fawr o un am y pethau a hoffai Gwenno. Pethau Cymraeg oedd yn mynd â'i fryd ef, p'run ai'n llyfrau neu gerddoriaeth neu raglenni teledu. Heblaw am Chiz a Bryn Fôn, ni fedrai Gwenno enwi unrhyw ganwr pop cyfoes Cymraeg, tra oedd Arwel wedyn yn recordio rhaglenni teledu fel *Stid* a *Fideo 9* a'u gwylio droeon. Ei fwriad ar ôl gorffen coleg, meddai wrthi un noson, oedd cael gwaith yn y Cyfryngau. Gofynnodd Gwenno iddo beth yn union *oedd* y Cyfryngau.

'Wyt ti'n meddwl fod gen i ddigon o dalant?' holodd hi'n ddifrifol, ar ôl egluro.

'Yn ôl be dw i wedi'i weld o S4C,' atebodd Gwenno, 'dwyt ti ddim angan cymaint â hynny o dalant.'

Cafodd wers hir wedyn ar rinweddau'r sianel, ond doedd dim diddordeb ganddi. Dyna pryd y dechreuodd holi'i hun a oedd diben iddi barhau'i pherthynas efo Arwel, a hwythau'n mwynhau pethau mor wahanol i'w gilydd. Iddi hi, roedd y grwpiau yr hoffai Arwel yn grwpiau gwael o'u cymharu â'r grwpiau Saesneg roedd hi'n eu dilyn. 'Dydi'r ffaith eu bod nhw'n Gymraeg ddim yn eu gneud nhw'n dda, yn otomatig,' meddai wrtho. Methai Arwel weld hynny, fodd bynnag, a buan iawn y peidiodd y ddau fynd i dai ei gilydd i chwarae recordiau. Eistedd yn gwylio'r teledu a wnaent gan amlaf.

'Gwranda—'sdim rhaid i chdi ddŵad os nad wyt ti isio,' meddai Gwenno wrtho pan gyhoeddodd ei bod am fynd i ddisgo'r Queens.

'Na, na. Mi ddo i . . . '

'Dw i'n gwbod dy fod di ddim yn enjoio dy hun yno . . . '

'Byddaf, tad . . . '

'O, Arwel, paid â deud clwydda! Fyddi di'n gneud dim byd ond sefyll yn yr ochor fath â llo drwy'r nos.'

''Ti'n swnio fel 'tait ti ddim isio i mi ddŵad efo chdi.'

'Wel—nag oes, a bod yn onast. Fedra inna ddim enjoio'n hun tra wyt ti'n sbio ar dy wats bob munud.'

'Iawn. Dos yno ar dy ben dy hun, 'ta.'

'Mi wna i, paid â phoeni.'

Ac fe aeth.

Petai Carys Wyn heb fynd adref yn gynnar, efallai y byddai popeth wedi bod yn iawn . . . Na, ceryddodd Gwenno'i hun. Doedd dim bai ar Carys Wyn, nac ar Arwel chwaith. Doedd dim byd yn ei rhwystro hi rhag mynd adref yn gynnar hefyd.

Dim byd heblaw am Mici Jones a'i wên.

Ni fu Carys mewn hwyliau da o gychwyn cyntaf y noson.

'Be sy?' holodd Gwenno.

'Oes raid i chdi ofyn? Mi faswn i'n dŵad ymlaen heno 'ma, yn baswn. Ro'n i'n gobeithio 'sa fo wedi cadw draw tan fory.'

Cydymdeimlodd Gwenno. 'Wyt ti isio mynd adra?'

'Nac dw i, tad. Dw i 'di dŵad allan i enjoio'n hun, a dw i'n benderfynol o neud hynny, dim ots be.'

Ymhen awr, fodd bynnag, cyhoeddodd Carys fod y miwsig yn codi cur pen arni a hyd yn oed ei sigaréts yn codi pwys arni. 'Dw i am 'i throi hi, yli.'

'Be . . . ?'

Roedd Gwenno wedi anghofio am broblemau mis-glwyfol Carys. Roedd rhywun yn troi i wenu arni o'r bar bob hyn a hyn, rhywun yr oedd wedi'i ffansïo ers cyn iddo adael yr ysgol.

'Dw i'n mynd!' gwaeddodd Carys dros y gerddoriaeth. 'Fedra i'm cymryd dim mwy!'

''Ti isio i mi ddŵad efo chdi?'

Ysgydwodd Carys ei phen. Gwelodd Gwenno'r bachgen wrth y bar yn edrych arni fel petai'n ei hewyllysio i aros.

'Arhosa di!' bloeddiodd Carys yn ei chlust. 'Dw i 'di hen arfar efo hyn. Wela i di fory rywbryd!'

'Iawn!'

Gadawodd Carys. Troes Gwenno'n ei hôl i edrych at y bar. Doedd dim golwg o'r bachgen. Damia! Lle'r aeth o? Chwiliodd yn wyllt amdano ymysg y dawnswyr. Gwelodd ef o'r diwedd yn eistedd hefo Dei Slei, ei gefn tuag ati. Yna daeth merch efo gwallt fel un Eddie Ladd atynt, gan ddodi'i dwylo dros lygaid y bachgen o'r tu ôl iddo. Gafaelodd ef yn ei harddyrnau a'i thynnu ymlaen nes ei bod bron â syrthio dros ei ysgwyddau. Chwarddodd y ferch. Roedd Gwenno'n ei chasáu hi'n syth.

Yna cododd y bachgen, gan foesymgrymu fel rhywun mewn ffilm henffasiwn. Plygodd y ferch—Lisa Huws oedd hi, roedd Gwenno'n ei hadnabod erbyn hyn—mewn cyrtsi, gan dderbyn stôl y bachgen. Dywedodd yntau rywbeth wrthi hi a Dei Slei, cyn codi'i law arnynt a dychwelyd i'r bar at ei beint. Gafaelodd yn ei wydryn, yna troes i wenu ar Gwenno.

Gwenodd hithau'n ôl arno am y tro cyntaf. Gwyddai ei fod am ddod ati, a gwyliodd ef yn gorffen ei ddiod ac yn prynu peint a hanner arall. Cerddodd tuag ati.

'Lagyr 'ti'n yfad, 'ndê?'

Gosododd hanner o lagyr o'i blaen cyn eistedd.

'Wel . . . naci. Britvic a lemonêd. Ma'n nhw'n gwbod faint ydi'n oed i yma.'

'Ond 'ti'n licio lagyr, yn dwyt?'

'Yndw . . . '

''Na chdi 'ta.' Tynnodd baced o Marlboro o boced uchaf ei siaced ddenim a chynigiodd ef iddi.

'Na'm diolch, dw i ddim yn smocio.'

''Ti ddim yn smocio, nac yn yfad? Hogan fach dda.'

'Ddim wir . . . '

'Be?' Gwgodd y bachgen i gyfeiriad y gerddoriaeth.

'DW I DDIM . . . o, dim ots.'

A gwenodd Mici Jones arni, wedi ei chlywed yn iawn y tro cyntaf.

Anodd oedd siarad yn sŵn y disgo. Roedd yn esgus da dros wyro ymlaen nes i'r gwefusau gyffwrdd y glust, bron iawn. Yfodd Mici ei beint i'r gwaelod a churodd wydryn Gwenno.

'Na, dw i'n O.K. diolch.'

Curodd Mici ef eto, gan wneud ystum yfed. Llyncodd Gwenno'r cwrw nwyol gan deimlo'i llygaid yn llenwi fel ei stumog. Gwthiodd y gwydryn tuag ato. Edrychodd Mici arni, yna gwthiodd y ddau wydryn yn ôl ati hi gan hercian ei ben tua'r bar.

'Ond wnân nhw mo'n syrfio i!'

Gafaelodd Mici Jones yn ei phen yn ysgafn gan anadlu i mewn i'w chlust cyn siarad. 'Pa un sy ddim yn dy nabod di?'

Edrychodd Gwenno i gyfeiriad y bar. 'Hwnna efo mwstash,' meddai.

'Reit. Dos ato fo, 'ta.'

Ond doedd hynny ddim yn deg iawn, meddyliodd Gwenno tra oedd hi'n sefyll wrth y bar. Dim ond haneri roedd hi'n 'u hyfed ac yntau'n llyncu peintiau. Dychwelodd efo peint o lagyr a sudd oren.

Gafaelodd Mici Jones yn yr oren. 'Be uffarn ydi hwn?'

Ceisiodd Gwenno gymryd y ddiod yn ôl, ond troes Mici a'i dywallt i mewn i wydryn gwag ar y bwrdd y tu ôl iddo. Yna gafaelodd mewn gwydryn gwag arall ac arllwysodd hanner ei beint ef i mewn iddo, yna'i wthio ar draws y bwrdd at Gwenno.

Edrychodd hi ar y gwydryn. 'Ych! Mae o'n fudur . . .'

Rhowliodd Mici ei lygaid a newidiodd y gwydrau. 'Unrhyw beth arall sy ddim yn plesio?'

Ymhen hir a hwyr, ar ôl ei thrydydd hanner o lagyr, mentrodd Gwenno ofyn iddo a oedd arno eisiau dawns-io.

'Be—i'r crap yma? Fydda i ond yn dawnsio i fiwsig iawn.'

'Dos i ofyn i'r DJ am rwbath.'

Edrychodd Mici arni, yna cododd a gwyliodd Gwenno ef yn gwthio'i ffordd trwy'r dawnswyr at y troellwr recordiau.

'Aros di,' meddai wrthi pan ddaeth yn ei ôl.

Eiliadau wedyn ffrwydrodd nodau cyntaf 'Dancing in the dark', Bruce Springsteen, dros y lle. Cymerodd Mici lwnc o'i gwrw, yna gafaelodd yn ei llaw a thynnodd hi ar ei ôl. Dawnsiai'n wyllt a heb fawr o rythm. Ceisiodd hithau ddilyn ei symudiadau, a phan orffennodd y gân roeddynt ill dau'n domen o chwys. Daeth record araf ymlaen, Sinead O'Conner yn canu 'Nothing compares 2U' a gafaelodd Mici ynddi.

Dyna'r amser i ymadael, meddyliodd wedyn, ar ddiwedd y gân ara deg honno. Do, gest ti ddigon o rybudd.

Hanner ffordd drwy'r gân, cusanodd Mici Jones hi. Gwthiodd ei dafod yn hy i mewn rhwng ei dannedd.

A be wnest ti? Ei gusanu o'n ôl.

Teimlodd ef yn caledu'n ei herbyn.

A be wnest ti? Closio'n nes ato.

Ond ro'n i'n mwynhau'r teimlad! dadleuodd Gwenno efo'i hun. Do'n i 'rioed wedi teimlo felly efo Arwel. Roedd pob dim yn fwy slei, rywsut, efo Arwel.

Gorffennodd y record yn rhy sydyn iddi.

'Rhaid i mi fynd i'r bog,' sibrydodd yn ei glust. Nodiodd ef.

Daeth wyneb yn wyneb â Lisa Huws wrth fynd i mewn i'r toiledau. 'Haia . . . ' Cerddodd Lisa'n ei blaen heb ddweud bw na be wrthi.

Pan ddaeth Gwenno allan, roedd Mici Jones yn aros amdani yn y cyntedd.

'Erbyn pryd wyt ti'n gorod bod adra?'

'Un ar ddeg.'

'Ia, mwn. Be sy—ofn i chdi droi'n bympcin ma'n nhw?' Edrychodd ar ei oriawr. 'Chwartar i ydi hi rŵan. Tyrd.'

A be wnest ti? Mynd efo fo, er dy fod yn gwbod yn iawn be oedd am ddigwydd. Mynd efo Mici Jones i gefn y Queens, a gadael iddo fo . . .

Cododd Gwenno ar ei heistedd wrth i'r drws agor o'r tu allan. Gwelodd y nyrs hi'n crynu, a chamddeallodd.

'Paid â phoeni, del, mi fydd o i gyd drosodd cyn i chdi droi rownd,' meddai.

Ac yr oedd o hefyd.

O DAN YR HEN LWYNOG

'Sud oedd o?'

'Iawn, 'sti . . . '

'Wnath o mo dy frifo di?'

''Y mrifo i? Naddo, siŵr. I ddeud y gwir, roedd o'n lot haws nag o'n i wedi meddwl 'sa fo.'

'O . . . '

'Be sy? 'Ti'n swnio fath â 'sa chdi'n siomedig.'

'Nac dw, siŵr. Jest . . . dipyn o anti-cleimacs ydi o'n dê? A ninna wedi poeni cymaint.'

'Wnes i ddim poeni llawar. Ro'n i'n gwbod 'swn i ddim yn ca'l llawar o has'l.'

'Ond do'n *i* ddim yn gwbod hynny, yn nag o'n?'

'Ddudis i 'sa bob dim yn O.K, yn do?'

'Do, do, wn i. Jest . . . '

'Jest be?'

''Swn i wedi licio ca'l bod efo chdi.'

'Ro'n i'n iawn. Doedd dim isio i chdi boeni. Er ma'n neis dy fod di.'

'Wel . . . do'n i ddim yn *poeni*. Isio gweld 'i wep o pan glywodd o bod chdi am orffan efo fo er mwyn mynd allan efo fi ro'n i.'

'Diolch am ddim byd, Mici Jones!'

'Croeso calon, f'anwylyd.'

'Eniwe, ddaru o ddim clywad hynny.'

'Be?'

'Wnes i ddim deud hynny wrtho fo, siŵr Dduw.'

'Pam?'

'Faswn i *wedi* ca'l has'l wedyn, yn baswn? Yli—fel

ma' hi, mae o'n meddwl 'yn bod ni wedi gorffan yn naturiol. Basa fo'n ffrîcio allan 'sa fo'n ama dy fod di ar y sîn.'

'Felly—dydi o'm yn gwbod dy fod di'n mynd allan efo fi?'

'Briliant! Dw i'n gweld rŵan pam wnest ti ada'l 'rysgol—roeddat ti'n rhy glyfar o lawar i'r lle.'

'Ond ma' Ffocsi'n bownd o ffeindio allan rywbryd.'

'Yndi, dw i'n gwbod. Ond ella fydd o wedi cwlio i lawr dipyn erbyn hynny.'

'Ond 'ti newydd ddeud 'i fod o'n O.K. am y peth.'

'Doedd o ddim yn *hapus*, Mici. Ddaru o ddim brysio i agor potal o shampên i ddathlu 'mod i'n gorffan efo fo. Meddylia am y peth, rŵan. Pa foi yn 'i lawn bwyll fasa'n hapus o golli hogan fath â fi'n dê?'

'Ha!'

'Wynab del, personoliaeth, hiwmor, tâst da mewn miwsig, un ddifyr i siarad efo hi . . . '

'A tits neis.'

'Sglyfath! Paid—! 'Rhosa i'r gola fynd lawr, o leia . . . '

'Ond fydda i ddim yn gallu'u gweld nhw wedyn.'

'Byhafia'r sglyf. Dw i isio gweld y ffilm 'ma, eniwe. Dw i'n meddwl fod Tom Cruise yn . . . '

'Yn *ffab!*'

'Ma'n gas gen i'r gair yna! Roedd Mam yn arfar deud hynny ugain mlynadd yn ôl.'

'Ma'n nhw'n 'i ddeud o ar y rhaglenni roc Cymraeg 'na'n dydyn?' Dynwaredodd Mici lais rhyw ferch a welodd yn cael ei chyf-weld mewn cyngerdd roc ar y teledu. 'O, Tynal Tywyll! Ma'n nhw'n *ffab*, ma'n nhw yn, ac ma' Ian Morris yn *grwfi*, ma' fo yn . . . '

Tynnodd Lisa ystumiau. 'Paid! 'Ti'n swnio'n rhy debyg iddyn nhw o lawar!'

'Dw i'n sori fi yn.'

'Mici . . . !' Trawodd Lisa ef yn ysgafn rhwng ei

gluniau.

'Aw—! O, 'na ni, 'ti wedi'i gneud hi rŵan, Lis. Fydda i'n dda i ddim byd i chdi ar ôl hynna.'

'Grêt. Ga i heddwch i sbio ar y ffilm felly. Sh, rŵan—ma'r gola'n mynd i lawr.'

''Ti'n gwbod be 'dan ni'n gorfod 'i ddiodda'n gynta, yn dwyt?'

'Be?'

'War-wwws, Beddgelert!'

'A ''Pentrefflyn'' yn lle Pentra'r-felin!'

Chwarddodd y ddau.

'Am faint fyddan ni'n gorfod sleifio o gwmpas fath â 'san ni'n ca'l affêr, 'ta?'

'Dw i'm yn gwbod. Ddim llawar. Sh, rŵan, Mic.'

'Be am nos Wenar?'

Ochneidiodd Lisa. 'Be amdan nos Wenar?'

'Ma' 'na ddisgo yn y Queens, yn does? Be 'dan ni am neud—cymryd arnan 'yn bod ni ddim yn nabod 'yn gilydd?'

'Naci, siŵr . . . '

'Be, 'ta?'

'Dwn i'm eto, ella fydd Ffocsi ddim yno. Gawn ni weld. Shysh rŵan, plîs.'

'Ar un amod.'

'Be rŵan eto!'

''Mod i'n ca'l sws. Jest un.'

''Ti'n gaddo?'

'Yndw, yndw, jest un fach. Wedi dŵad yma i weld y ffilm ydw i, Lisa Huws, ddim i lyfu a llempian yn y sêt gefn, 'mond i chdi ga'l gwbod.'

'Mici Jones! 'Ti'n gofyn amdani, weithia.'

'Yndw—drwy'r amsar. Ond pur anamal fydda i'n 'i cha'l hi hefyd, yndê?'

'Sglyf!'

Cusanodd y ddau.

'Wneith hynna i chdi, Swnyn?'

'Ffab . . . '

* * * * * *

Ni fu Ieuan erioed yn botiwr mawr. Fe wnaeth ei siâr o yfed, wrth reswm , pan oedd yn ifanc ac yn un o'r 'hogia go iawn', chwedl Bryn Fôn, ond ni chafodd fawr o flas ar yr hen gwrw â dweud y gwir. Oddi ar iddo briodi, dim ond ambell beint pan fyddai ef a Glenda'n mynd allan i rywle am bryd o fwyd a yfai, a phrin iawn oedd yr achlysuron rheini.

Heno, fodd bynnag, oedd y drydedd noson yn olynol iddo eistedd yng Ngwesty'r Heliwr gyda pheint o'i flaen. Roedd y cwrw'n ei helpu i gysgu. Eisteddai wrth fwrdd oedd yn ddigon pell oddi wrth y sgrechflwch swnllyd yn y ffenestr. Uwch ei ben roedd pen hen lwynog wedi'i stwffio yn ymwthio'n llywaeth o darian bren yn y mur. Anodd ar y naw oedd dweud p'run ai Ieuan ynteu'r llwynog a edrychai fwyaf digalon—neu felly y sylwodd Gwyn Ifans Bara pan eisteddodd wrth y bwrdd.

Gwenodd Ieuan barodi ofnadwy ar wên. 'Bron na faswn i'n newid lle'n hapus efo'r llwynog,' meddai. 'Sud wyt ti, Gwyn?'

Roedd gan Ieuan barch mawr i Gwyn Ifans Bara. Credai fod Gwyn yn well Cristion na hanner y capelwyr hunangyfiawn a chul roedd yn eu hadnabod. Roedd ganddo amser i bawb, ac roedd sawl person, yn henoed neu'n anabl, wedi darganfod anrheg bach o ardd lysiau Gwyn wedi'i lapio yn y *Cambrian News* a'i adael ar eu cerrig drws yn ddistaw bach. Bu'n hynod o ffeind pan gollodd Ieuan ei fam rai blynyddoedd yn ôl, a rŵan yr wythnos yma bu'n eistedd yn gwrando'n amyneddgar ar Ieuan yn amlinellu'i drafferthion gartref iddo. Dyn tawel a phwyllog oedd Gwyn, yn nesáu at yr oed ymddeol o'i fusnes pobi a gwerthu bara, a bu'n ofalus i beidio â holi Ieuan; yr unig beth a wyddai oedd fod

Glenda wedi cuddio rhyw gyfrinach ynglŷn â Gwenno rhag Ieauan, a bod hynny wedi brifo Ieuan i'r byw.

'Dw i'n cymryd nad ydi petha'n gwella dim?' meddai'n awr.

'Dim llawer,' atebodd Ieuan. 'Go brin y baswn i'n slochian yma 'tasa petha'n iawn adra.' Chwarddodd yn chwerw. 'Celwydd noeth ydi'r hen ddywediad 'na, ysti Gwyn—fod creisis yn dŵad â theulu'n nes at ei gilydd. Dydi hynny ddim wedi digwydd acw, yn sicr. Os rhwbath, 'dan ni wedi tyfu ymhellach ar wahân.'

Edrychodd Gwyn Ifans arno am ychydig, yna rhoddodd ei wydryn peint i lawr ar y bwrdd.

'Ieuan,' meddai, 'dw i wedi ista'n fan 'ma'n ddistaw am ddwy noson, yn gwrando arnat ti'n deud yr un hen betha drosodd a throsodd. Dw i am fentro gofyn rhwbath i chdi rŵan, a dw i am i chdi feddwl yn ofalus cyn atab. Bai pwy 'di o, 'ych bod chi wedi tyfu ymhellach yn lle'n nes at 'ych gilydd?'

Cychwynnodd record aflafar arall daranu o'r sgrechflwch, ond doedd ar Ieuan ddim angen tawelwch i feddwl. Gwyddai'r ateb i gwestiwn Gwyn Ifans yn barod. Roedd wedi ceisio beio Gwenno, ond doedd hynny ddim yn tycio; peth hawdd iawn fyddai ei beio hi, ffordd cachgi o osgoi ffeithiau. Glenda? Na. Nid yr holl fai. Roedd o leiaf hanner y baich hwnnw ar ysgwyddau rhywun arall.

'Y fi'n hun, mwn.'

'Haleliwia. Dyna inni gam yn y cyfeiriad iawn o'r diwedd. Y cwestiwn nesa ydi, be wyt ti'n bwriadu'i neud am y peth?'

'Y fi?'

'Ia, Ieu—y chdi. Wela i neb arall yma, os nag wyt ti'n cyfri'r hen lwynog 'ma.'

'Ond pam ddylwn i gymryd y cam cynta?' gofynnodd Ieuan, gan wybod yn iawn iddo swnio fel plentyn bach wedi'i ddifetha. 'Roedd Glenda ar fai hefyd, cofia, yn peidio â dŵad ata i pan gododd y . . . y traffarth 'ma'n y lle cynta.'

'Falla'i bod hi, i radda,' meddai Gwyn. 'Ond 'dan ni'm yma i feirniadu dy wraig, yn nac 'dan? Deud i mi—wyt ti wedi meddwl *pam* ddaeth hi ddim atat ti?'

'Pam? Wel . . . roedd arni ofn i mi wylltio . . . '

'Oedd, oedd—ond mwy na hynny, Ieu. Doedd Glenda ddim yn gwbod *sud* i ddŵad atat ti, yn nag oedd? Bydd yn onast, rŵan. Mi ddudist ti wrtha i dy fod yn gwbod bod rhwbath yn poeni Glenda ers wsnosa, yn do? Doedd dim syniad sbanial gen ti sud i ofyn iddi'n blwmp ac yn blaen be oedd, yn nag oedd?'

Ymateb cyntaf Ieuan oedd gofyn sut ddiawl roedd hwn yn gwbod cymaint am ei briodas ef? Yna sylweddolodd fod Gwyn yn llygad ei le. Ochneidiodd, a syllodd yn ddall i mewn i'w beint.

'Ma' hi mor hawdd beio pobol erill, yn dydi, Ieu?' meddai Gwyn, efo llawer mwy o gydymdeimlad yn ei lais. 'Gollwng yr holl fai am bob dim ar linia'n gwragedd, gan amla, tra 'dan ni'r dynion yn troi'n cefna a cherddad i ffwrdd.'

'Ond dw i ddim wedi troi 'nghefn,' dadleuodd Ieuan. 'Na cherddad i ffwrdd.'

'Be ddiawl wyt ti'n neud yn fan 'ma, 'ta?' Cododd Gwyn gan roi clec i'w beint. 'Reit—dw i am 'i throi hi. Ma' 'na gêm reit dda i fod ar y bocs 'na heno.' Taflodd winc ar Ieuan. 'Dw i'n gobeithio na wela i mohonot ti yma nos fory hefyd. Nos dawch, was.'

Ymadawodd Gwyn Ifans, ond arhosodd ei eiriau i rasio'n ôl ac ymlaen ym mhen Ieuan. Daliodd hwy a'u pwyso fesul un, gan sylweddoli nad oedd 'run gair yn gelwydd. Adra mae dy le di, Ieuan Lloyd, fe'i ceryddodd ei hun, ddim yma'n trio cuddio mewn gwydryn peint 'run fath â chymeriad mewn ffilm cowboi. Mae Glenda'n ddynas gref, ac mae Gwenno'n tynnu ar ei hôl hi yn hynny o beth, ond mae ar y ddwy ohonyn nhw dy angan di'r un fath.

Ac mae arna innau'u hangan hwythau hefyd—oes, myn diawl!

Gwenodd Ieuan Lloyd.

Agorodd drws cefn y gwesty, a chododd Ieuan ei lygaid i weld hogyn a hogan yn cerdded i mewn i'r bar, eu breichiau am ei gilydd.

'Dw i'n deud wrthat ti—pwff ydi Tom Cruise,' pryfociodd y bachgen wrth basio bwrdd Ieuan.

'Jelys wyt ti, Mici,' gwenodd yr hogan—os hogan hefyd. 'Rargian, welsai Ieuan erioed y ffasiwn wallt ar yr un hogan; ni chlywsai erioed am Eddie Ladd na Sinead O'Connor.

Troes yr hogan a gweld Ieuan yn syllu arni. Gwenodd arno cyn troi'n ôl at ei chariad. Cofiodd Ieuan iddo fo ddod i'r garej ychydig ddyddiau ynghynt efo'r llwdwn Tomi Goch hwnnw. Siŵr iawn! Hogyn Len Dew oedd o. Roedd Tomi Goch yn dad i blentyn ei chwaer o, meddan nhw. O leiaf doedd 'na ddim dirgelwch ynglŷn â thad y plentyn hwnnw.

Gorffennodd Ieuan ei beint a chododd. Troes hogyn Len Dew. ''Na chi—gewch chi ista'n fan 'ma os leiciwch chi. Dw i'n 'i throi hi.'

'O. Diolch . . .'

Nefi wen, meddyliodd Ieuan, doedd yr hogyn yna'n beth llywaeth? Yn cochi at ei glustiau ar ddim.

'Nos dawch,' meddai.

'Nos da,' atebodd y ddau, cyn troi at ei gilydd a chwerthin.

Gadawodd Ieuan yr Heliwr efo gwên ar ei wyneb Wedi'i sgwrs efo Gwyn Ifans, teimlai'n glên tuag at y cwpwl ifanc. Pob lwc i chithau, blantos, meddyliodd, a byddwch yn ofalus, beth bynnag wnewch chi.

* * * * * *

136

''Ti 'di cochi at dy glustia!'

'Dw i ddim . . . '

'Do, tad. 'Ti fath â traffic leit. Tyrd yn nes imi ga'l cnesu 'nwylo arna chdi.'

'Paid, Lis . . . '

''Ti'n edrach yn ciwt pan 'ti'n cochi.'

Cosodd Lisa ef dan ei ên, a thynnodd Mici'i ben oddi wrthi'n wyllt.

'Wnei di roi'r gora iddi!'

'Tempar, tempar.'

'Dw i'm yn licio'r ffordd ma'r boi 'na'n sbio arna i.'

'Pwy—dy dad-yng-nghyfrath?'

'Paid â'i alw fo'n hynny, damia chdi. Roedd o'n sbio arna i fath â baw yn y garej pan es i yno efo Tomi o'r blaen.'

'Wedi clywad dy fod di wedi bod yn sniffian o gwmpas 'i ferch o mae o.'

''Mond unwaith es i efo hi—a dw i ddim yn debygol o fynd efo hi eto.'

That's mah boy! Roedd o'n ddigon clên heno 'ma, eniwe, be sy arna chdi?'

'Oedd, 'ran 'ny. Ynda . . . '

'Diolch.' Taniodd Mici sigaréts i'r ddau ohonynt. Taflodd Lisa olwg i fyny i gyfeiriad y llwynog uwch eu pennau.

'Be *ydi* hwnna?'

'Llwynog, 'ndê. Be 'ti'n feddwl ydi o—eliffant?'

'Ond mae o'n frown. Coch ydi llwynogod fel arfar, ddim brown.'

'Mi fasa chditha'n frown hefyd, Lis, 'tasa dy ben di wedi bod yn sticio allan o wal y Sbortsman ers oes pys.'

'Basa, mwn. Ond fydd y cr'adur ddim yma'n hir iawn eto.'

'Be 'ti'n feddwl?'

'Ma'n nhw'n so'n am gau'r Sbortsman 'ma, yn

dydyn?'

'Be—?!' Rhythodd Mici arni. 'Cau'r Sbortsman? Pwy? Pwy?'

'Dyna glywis i,' meddai Lisa. 'Ma'n nhw am droi'r lle yn fistro ne rwbath felly.'

'Pwy?' Ni fedrai Mici ddygymod â'r cabledd hwn. 'Paid â deud wrtha i . . . rhyw blydi Saeson, mwn.'

'Dwn i'm . . .'

'Ia, mi fetia i di. Damia nhw! Pam na fedar y diawliad ada'l llonydd i betha? Dw i'n deud wrtha chdi, Lis— fyddan ni ddim yn nabod y Port 'ma mewn rhyw flwyddyn ne ddwy. Blydi Saeson . . . pwy sy isio bistro yma, beth bynnag? Ma' *Chinese* jest dros y ffordd.'

Gwgodd Mici i mewn i'w beint. Yr hen Sbortsman, o bob man, am fynd. Be nesa?' Ochneidiodd, ond ni allai aros yn flin yn hir iawn y dyddiau hyn.

'Mae o'n 'yn dilyn ni i bob man, yn dydi?' meddai wrth Lisa.

'Pwy?' Edrychodd Lisa o'i chwmpas.

Pwyntiodd Mici at yr hen lwynog. 'Ffocsi.'

'O, Mici—!'

'Na, ddim yn fan'na! Hitia fi ar f'ysgwydd os oes raid i chdi'n hitio fi o gwbwl.'

'Oes. Ma' raid . . .'

'Gw-ahed, 'ta. Aw! Well rŵan?'

'Grêt.'

'Faint o bres sgen ti?'

Gwagiodd Lisa'i phoced. 'Chydig dros buntan. Pam— 'ti isio peint arall?'

'Na, cadwa fo at nos Wenar. Gawn ni'n dôl fory, hefyd, felly mi ddylan ni ga'l noson reit dda.'

'Roedd heno'n noson O.K., ro'n i'n meddwl. Wnest ti ddim enjoio'r ffilm, ne rwbath? Roeddat ti'n chwerthin digon.'

'Ma' pob noson yn noson dda pan dw i efo chdi, f'anwylyd.'

Cododd Lisa'n sydyn.

'Lle 'ti'n mynd rŵan, Lis?'

'I'r bog i chwdu.'

'Stedda i lawr, y ffurat.'

Gwenodd y ddau ar ei gilydd, gan nabod y gwir y tu ôl i'w geiriau ysgafn.

* * * * * *

Roedd Glenda wrthi'n gwylio ffilm ar y teledu pan ddaeth Ieuan i mewn.

'Haia.'

'Haia.' Eisteddodd yn y gadair a phlygodd i dynnu'i esgidiau. Gwnaeth sioe o riddfan yn braf wrth ysgwyd bodiau'i draed yng ngwres y tân nwy.

'O! 'Na welliant.'

Parhaodd Glenda i syllu ar y sgrin.

'Ydi Gwenno wedi'i throi hi?'

'Do.'

'Mae'n ôl-reit, yn dydi?'

'Yndi.'

'Dydi hi ddim wedi crio wedyn?'

Ysgydwodd Glenda'i phen.

'Roedd hi'n crio'n o hegar pan ddaeth hi adra o'r . . . o'r lle 'na.'

'Roedd hynny'n beth digon naturiol. Faswn i wedi poeni 'tasa hi heb grio.'

'O! Dw i'n gweld.'

'Wyt ti?'

Edrychodd Ieuan ar y teledu, a gweld dau gar heddlu America'n sgrechian drwy'r strydoedd ar ôl car arall.

'Ydi hwn yn dda i rwbath?'

Cododd Glenda'i hysgwyddau.

'Rhyw betha fel hyn ma' Gwenno'n licio'u gwatshiad, 'ndê. Oedd hi'n gwbod 'i fod o ymlaen?'

'Roedd hi yma pan ddaru o gychwyn.'

'Pryd aeth hi i'w gwely, 'ta?'

'Newydd fynd ma' hi.'

'Jest cyn i mi ddŵad adra.'

'Ia.'

'Neis iawn, os ga i ddeud.'

Edrychodd Glenda arno'n llawn am y tro cyntaf oddi ar iddo gerdded i mewn ati. 'Be, Ieuan?'

''I sgidadlu hi i fyny'r grisia 'na pan ma' hi'n gwbod fod 'i thad yn dod adra. Oes arni hi f'ofn i ne rwbath?'

'Dy *ofn* di?' Rhythodd Glenda arno mewn syndod pur.

'Duw a ŵyr, dw i wedi gneud 'y ngora y dyddia dwytha 'ma. Dw i heb roi achos iddi hi ddengid i ffwrdd oddi wrtha i, fel 'taswn i'n rhyw fonstyr o ddyn . . . '

'Ieuan . . . '

'Ma' hi'n gwbod 'mod i'n meddwl y byd ohoni hi. Dim ots be ma' hi wedi neud, ma' hi'n gwbod y ceith hi ddŵad at 'i thad bob tro . . . '

'O, cau dy blydi ceg, wnei di!'

'Be!'

Edrychodd Ieuan yn gegagored ar ei wraig. Cododd Glenda gan ddiffodd y teledu cyn troi ato.

'Dydi Gwenno ddim yn dy ofni di, siŵr!'

'Pam 'i bod hi wedi mynd i'w gwely 'ta? Roedd hi'n arfar bod fath â gwdihŵ o gwmpas y lle 'ma.'

'Fasa chdi'n licio aros yn yr un stafall â dau o bobol sy'n rhyw fân siarad efo'i gilydd drwy'r amsar, sy'n gneud ati i fod yn neis-neis wrth 'i gilydd efo rhyw hen wenu dannadd-gosod o hyd?' Ysgydwodd Glenda'i phen. 'Faswn i ddim, Ieuan. A wela i ddim bai ar yr hogan, wir.'

'Wnes i'm meddwl . . . ' cychwynnodd Ieuan, ond torrodd Glenda ar ei draws.

'Naddo, mwn! Iesu, mi 'dach chi ddynion yn thic—ac yn hunanol.'

'Fi? Yn hunanol . . . ?'

'Ia. Os nad ydi petha'n mynd yn esmwyth, neis fel rwyt ti isio iddyn nhw fynd, yna rwyt ti'n cropian i mewn i dy gragan yn syth yn lle mynd ati i drio gneud rhwbath am y peth.'

'Ond dw i wedi trio gneud rhwbath, Glend . . . '

'Be? Be 'ti 'di drio'i neud, Ieuan? Faint o nosweithia ma'r ddau ohonan ni wedi bod yn gorwadd yn y gwely 'na, yn stiff fath â dau brocar wrth ochra'n gilydd? Fasa waeth i chdi gysgu yn y Sbortsman 'na ddim, rwyt ti'n cadw dy hun mor bell oddi wrtha i. Ma' Gwenno'n gallu gweld hynny 'mond drwy sbio ar y ddau ohonan ni'r bora wedyn, ac ma' hi'n teimlo wedyn mai hi sy wedi'i achosi o.'

'Ond pam na wnei di ddim deud wrthi hi?'

'Pam na wnei di? Pam dw i'n gorfod cymryd y cyfrifoldab i gyd, a chditha'n cymryd yr hwyl?'

'Pa hwyl . . . ?'

'Y busnas "Hogan Dad" 'na i gyd pan oedd hi'n fach. Sud 'ti'n meddwl o'n i'n teimlo bob tro ro'n i'n clywad y ddau ohonach chi'n deud hynny?' Chwarddodd Glenda'n chwerw. 'Lle ma' Dad wedi bod y dyddia dwytha 'ma, fath â 'swn i ddim yn gwbod. Ma' Dad wedi bod yn llyncu mul yn 'i gragan fach glyd, yn dydi. Mam sy wedi gorfod cario 'mlaen o un diwrnod i'r llall . . . ' Er ei gwaetha'i hun dechreuodd Glenda wylo. '. . . tra bod Dad yn mynd o gwmpas y lle fath â rhyw blydi merthyr . . . ' Synnwyd Glenda gan gryfder ei hemosiynau. Roedd y teimlad o unigrwydd a brofodd yn y clinic efo Gwenno wedi chwyddo lawer iawn mwy nag y sylweddolai. Llifai'r dagrau ohoni'n awr fel dŵr trwy ogr ac ymbalfalodd am hancesi papur o'r bocs ar y bwrdd bach wrth ochr ei chadair.

Sbio arni fel llo a wnaeth Ieuan am eiliadau hirion; yna plygodd o'i blaen gan afael yn ysgafn yn ei garddyrnau.

'Glend. Tyrd o'na rŵan, Glend . . . ' meddai, a theimlodd

Glenda'i wylo'n bygwth troi'n chwerthin afreolus. Roedd Ieuan, wrth geisio'i chysuro hi, wedi dweud yr union eiriau anobeithiol a ddywedodd hi wrth Gwenno yn y clinic.

'Ddim fel hyn roedd hi i fod heno 'ma,' clywodd Ieuan yn dweud, wrtho'i hun fwy nag wrthi hi.

'Be . . . ?'

'O, dim byd. 'Mond . . . y fi welodd rwbath drosta'n hun heno 'ma. Ro'n i wedi planio pob dim yn ofalus, ond pan ddois i adra a gweld fod Gwenno wedi mynd i fyny i'w gwely, a chditha'n ista yma fath â statiw . . . 'Gadawodd Glenda iddo dynnu'i dwylo i lawr o'i hwyneb. 'Dw i wedi bod yn ddiawl dwl, Glen. Rydan ni i gyd wedi bod yn wirion yn ddiweddar, ond y fi fuodd wiriona. Dw i ond yn sori ei fod o wedi cymryd cymint o amsar imi weld hynny.'

'Dw inna hefyd.'

'Ddylwn i fod wedi deud hynna ers dyddia, yn dylwn?'

'Dylat.'

'Ydw i wedi'i gada'l hi'n rhy hwyr, Glend?'

Teimlodd Glenda ochenaid aruthrol yn crynu drwy'i chorff, ac yn ei sgil yr ysgafnder ysbryd mwyaf iddi'i brofi erioed. Roedd Ieuan yn dal ei afael yn ei garddyrnau, a cheisiodd ryddhau ei llaw chwith. Gafaelodd ei gŵr yn dynnach ynddi.

'Ieuan . . . '

'Sori.' Gollyngodd hi fel petai'n dysan boeth.

'Mond isio hancas i chwythu 'nhrwyn ydw i,' gwenodd Glenda.

'O. Damia!' meddai'n sydyn.

'Be sy?'

Neidiodd Ieuan i'w draed. 'Ddudis i 'mod i wedi planio petha cyn dŵad adra, yn do?' Nodiodd Glenda. 'Uffarn o blanio. Mi brynis i jips a ffish, er mwyn inni ga'l 'u byta nhw fel bydden ni erstalwm, a dw i 'di gada'l y diawliad yn 'y nghôt yn y pasej.'

'O, Ieuan—! Cer i'w nôl nhw, ne mi fydd y lle'n drewi.'

'Fyddan nhw wedi hen oeri rŵan . . . '

'Dim ots. Fyddan nhw ddim chwinciad yn cnesu yn y popty.' Brysiodd Glenda i'r gegin i gynnau'r popty, a daeth Ieuan ar ei hôl efo'r bwyd.

'Be wnawn ni—deffro'r plant?'

Cymerodd Glenda'r sglodion oddi arno. 'Dw i ddim yn meddwl. Wneith o ddim lles iddyn nhw fwyta petha seimllyd 'radag yma o'r nos. P'run bynnag—dw i wedi ca'l 'yn stumog yn ôl mwya sydyn. Dw i'n siŵr y gwnawn ni'n dau joban reit dda o gladdu'r rhein, dwyt ti ddim?'

* * * * * *

Clywodd Gwenno'i rhieni'n cael ffrae yn yr ystafell odani. Clywodd ei mam yn wylo, a chlywodd lais ei thad yn siarad yn dawel, ond methodd ddeall beth roedd yn ei ddweud. Yna clywodd ddrws y stafell fyw'n agor a sŵn traed yn brysio i'r gegin, a'i mam yn dweud enw'i thad â chwerthin yn ei llais cyn i ddrws y gegin gau.

Cododd o'i gwely ac agorodd ddrws ei llofft. Bu bron iawn iddi sgrechian fel dynes o'i cho pan welodd rywun yn sefyll ar y landing.

'Gwion!' sibrydodd yn ffyrnig. Rhoes y golau ymlaen i weld ei brawd bach yn gwasgu'i lygaid yn dynn yn erbyn y golau, yn ei byjamas Ghostbusters.

'Be 'ti'n neud allan o dy wely?'

Edrychodd Gwion yn hurt arni, heb ddeffro'n llawn. 'Ma'n nhw'n byta tships.'

'Be?'

'Dw i isio tships.'

'Paid â siarad drwy dy het. Lle gei di dships 'radag yma o'r nos?'

'Dw i'n ca'l chwara *inside right* fory, medda Mr Evans.'

'Wyt ti?' Gwelodd ben ei brawd yn nodio'n braf wrth iddo bendwmpian uwchben ei draed, a gafaelodd ynddo. 'Tyrd, cyn i chdi syrthio i lawr grisia ne rwbath.'

Roedd Gwion yn chwyrnu cysgu cyn iddo gyrraedd ei wely, a gorfu i Gwenno'i gario iddo. Lapiodd y plancedi'n dynn amdano, fel mam, ac oedodd am ychydig yn syllu arno'n cysgu'n braf. Edrychai ei brawd llawer iau na'i oed iddi, ei ben yn fach ar y gobennydd a chudyn llaith o'i wallt yn gynffon mochyn ar ei dalcen.

Teimlodd rywbeth y tu mewn iddi'n troi.

'Nos da, 'mach i,' sibrydodd.

Gadawodd yr ystafell gan gau'r drws yn dawel ar ei hôl. Aeth i'w gwely i bendwmpian, ac ymhen hir a hwyr clywodd ei rhieni'n dod i fyny'r grisiau. Clywodd ei thad yn sibrwd rhywbeth wrth ei mam, a chlywodd ei mam yn pwffian chwerthin. Aethant i mewn i'w hystafell hwy, ac ymhen ychydig clywodd Gwenno sbringiau'u gwely'n gwichian, drosodd a throsodd.

Ychydig wythnosau—ddyddiau, hyd yn oed—ynghynt, byddai'r sŵn yna wedi'i hanesmwytho'n fawr iawn. Heno, gwenodd wrthi'i hun cyn troi ar ei hochr a chysgu'n syth.

Pennod 12
PLANT BACH
YN CHWARA

Ddydd Iau, cafodd Gwenno a'i mam ginio cynnar; teimlai Glenda iddi esgeuluso hen ddigon ar ei gwallt yn ystod yr wythnosau diwethaf, felly trefnodd gael y 'ffwl tritment' am chwarter i un. Cyhoeddodd Gwenno fod arni hithau awydd mynd am dro bach.

'Rwyt ti i fod yn sâl 'sti,' atgoffodd Glenda hi.

'Yndw, dw i'n gwbod, ond dw i jest â mynd yn boncyrs i mewn yn y tŷ drwy'r amsar.'

'Mi fyddi di'n d'ôl yn 'rysgol fora Llun. Fedri di ddim disgwl tan hynny?'

'Ond ylwch mor braf ydi hi, Mam! Welith neb mohona i—'run o'r athrawon, eniwe.' Roedd Gwenno'n difaru crybwyll y syniad o fynd am dro'n barod. Doethach o lawer fyddai cau ei cheg a mynd yn slei bach tra bod Glenda'n cael ei 'ffwl tritment'. 'Fydda i'm yn hir— 'mond ar hyd y Cob Crwn ac yn ôl. Ella bydd hi'n stido bwrw fory.'

'Gei di ddŵad efo fi i'r lle gwallt os lici di.'

'Ond mi fydda i wedi mynd yn soldiwr yn fan'no! Dowch ymlaen, Mam—welith neb mohona i ar Cob Crwn, siawns. Eniwe—ma'n beth da i rywun sy'n dŵad dros y ffliw fynd allan am dipyn o awyr iach, yn dydi? Yn dydi?'

'O, dos 'ta. Ond dim tin-droi'n nunlla, cofia. A dim piciad am banad i Gaffi New Street.'

'Wna i ddim, siŵr. Newydd ga'l cinio ydw i.'

Bum munud wedi i Gwenno adael, dyma'r gloch drws ffrynt yn canu. Trwy'r gwydr gwelai Glenda rywun pengoch yn sefyll yno. Pwy aflwydd . . . ? meddyliodd wrth gychwyn agor y drws, gan sylweddoli'n rhy hwyr pwy oedd yno. Damia, damia! Be gythra'l oedd ar hwn ei isio, o bawb?

Y peth cyntaf a wnaeth Arwel oedd ymddiheuro.

'Sori am landio arnach chi fel hyn, Mrs Lloyd. Meddwl ella 'swn i'n cael gair bach efo Gwenno o'n i.'

'O, ia?'

'Y . . . ia. Dydi hi ddim wedi bod yn 'rysgol ers dwn i'm pryd, a . . . wel, meddwl tybad be oedd yn bod arni hi ro'n i.' Edrychodd Arwel i lawr ar ei draed.

Craffodd Glenda arno. Roedd Gwenno wedi taeru ar hyd yr amser nad y fo a'i gwnaeth yn feichiog. Roedd yr hogyn i'w weld o ddifrif hefyd, a go brin y byddai ganddo'r wyneb i ddod i holi ynglŷn â chyflwr iechyd Gwenno os oedd o'n euog.

'Do'n i ddim yn disgwl dy weld di yma, Arwel,' cyff-esodd Glenda. 'Ddudodd Gwenno'ch bod chi wedi ffraeo.'

'Wel . . . ddaru ni ddim *ffraeo*, ddim go iawn, felly,' meddai Arwel yn anghysurus. 'Gwenno oedd . . . wel, isio gorffan. Ond 'dan ni'n dal yn ffrindia,' ychwanegodd yn frysiog.

Go brin, washi, meddyliodd Glenda. Fasa chdi ddim isio bod yn ffrindia efo hi 'tasa chdi'n gwbod y gwir, dw i ddim yn meddwl. Y cr'adur druan! Mi rwyt titha wedi ca'l dy frifo gan yr hen fusnas 'ma hefyd, yn do? Er nad wyt ti'n gwbod yn iawn pam.

Tynerodd ato ryw gymaint.

'Wel . . . yr hen ffliw 'ma gafodd hi, Arwel, ond ma' hi wedi mendio'n reit dda erbyn hyn. Mi fydd hi'n ôl yn 'rysgol dydd Llun.'

'O. Y . . . iawn. Da iawn. Y . . . ydi hi i mewn?'

Ysgydwodd Glenda'i phen. 'Ma' hi wedi piciad allan am dro bach. Mi wneith dipyn o awyr iach fyd o les iddi. Ma' hi wedi cnesu dipyn heddiw. Mi dduda i wrthi hi dy fod di wedi galw, yli.'

'Ddudodd hi i ble'r oedd hi am fynd?' gofynnodd Arwel.

Oedodd Glenda, cyn penderfynu na fuasai Gwenno'n diolch iddi am anfon Arwel ar ei hôl. 'Naddo. 'Mond 'i bod hi'n mynd am dro bach.'

'O. Wel, 'na ni, felly. Diolch.'

Cychwynnodd Arwel i ffwrdd gan ddisgwyl clywed y drws yn cau y tu ôl iddo unrhyw eiliad. Roedd y sŵn braidd yn hir yn dod, a throes i weld Glenda'n syllu ar ei ôl. Gwenodd arni gan godi'i law. Cododd hithau'i llaw'n ansicr cyn camu i mewn i'r tŷ wysg ei chefn a chau'r drws o'r diwedd.

Y ffliw, wir! Ffliw ryfedd ar y diawl, meddyliodd Arwel, gan edrych ar ei oriawr. Bron yn chwarter i un. Roedd ganddo wers ysgrythur mewn ugain munud, ond doedd gan y Paul arbennig hwn 'run bwriad o frysio'n ôl i eistedd wrth draed Gamaliel Ysgol Eifionydd—ddim nes ei fod wedi gwneud ei orau glas i ddod o hyd i Gwenno, beth bynnag.

* * * * * *

Roedd Gwenno wedi bod am dro ar hyd y Cob Crwn, ac roedd newydd gychwyn cerdded dros Bont y Dora wrth droed Ynys Towyn pan welodd ben coch cyfarwydd yn brasgamu'n benderfynol tuag ati. Roedd yn amhosib iddi droi'n ei hôl; doedd dim i'w wneud ond cerdded yn ei blaen i'w gyfarfod. Cyfarfu'r ddau union hanner ffordd yng nghanol y bont, fel Robin Hwd a Little John.

'Haia.'

'Haia. 'Ti'n well?'

'Yndw, diolch.' Pesychodd Gwenno iddo. 'Ffliw ges i.'

'Ia. Dyna ddudodd dy fam.'

Dychrynodd Gwenno. 'Ti 'rioed wedi bod acw!'

'Do. Ro'n i isio gweld sud oedda chdi'n do'n i. Mi ddudodd dy fam mai dôs o'r hen ffliw 'ma gest ti.'

'O. Ia, uffarn o ddôs hefyd . . .'

'Pryd ma' hi ar y teli nesa?'

'Be . . . ?'

'Dy fam. Dw i'n synnu fod actoras mor dda heb ga'l 'i chipio gan bobol S4C eto. Ma' hi bron cystal actoras â chdi, Gwenno.'

'Be 'ti'n feddwl?'

'Ca'l erthyliad wnest ti'n dê?'

Roedd y llifddorau newydd agor dan y bont, a rhuthrai'r dŵr odanynt yn wyllt a swnllyd, fel llond dosbarth o blant wedi'u rhyddhau amser chwarae.

'Yndê, Gwenno?'

Edrychodd Gwenno i lawr at y dŵr. Nodiodd.

'O, Gwenno!' Ceisiodd Arwel afael ynddi ond camodd Gwenno'n ei hôl oddi wrtho.

'Paid â chyffwrdd yna' i plîs, Arwel. Sud wyt ti'n gwbod, beth bynnag? Os ydi blydi Carys Wyn wedi agor 'i cheg wrth bawb . . .'

'Naddo. 'Mond wrtha i.'

'O, ia—dw i'n siŵr! Ma'r blydi ysgol 'na i gyd yn gwbod, mwn.'

'Nac ydi, Gwenno, wir yr.'

'Sud oedda chdi'n gwbod lle'r o'n i?'

'Be? O—ffliwc hollol. Dy weld di yma o bont yr harbwr wnes i. Yli, tyrd yma . . .'

Gwthiodd Gwenno ef yn galed oddi wrthi. 'Dw i ddim isio i chdi gyffwrdd yna' i, Arwel!'

''Mond gafa'l yna' chdi ro'n i am neud . . .'

'Na! Jest—gad lonydd imi.'

'Pwy oedd o, Gwenno?' gofynnodd Arwel yn dawel.

'Be?'

'Pwy oedd o?'

'Meindia dy fusnas, Arwel.'

'Pwy *oedd* o, Gwenno?'

'Yli—dw i'n trio 'ngora glas i anghofio amdano fo. Plîs, Arwel . . . '

'Dyna pam wnest ti orffan efo fi mor sydyn, yndê? Mi fues i'n trio meddwl . . . '

'Be?' Rhythodd Gwenno arno.

'Ro'n i 'di gneud 'yn hun yn swp sâl, methu dallt be o'n i wedi neud i bechu yn d'erbyn di mwya sydyn. Ma' hyn wedi egluro pob dim.'

'Arwel.' Siaradodd Gwenno'n araf a phwyllog, fel gyda phlentyn bach. 'Mi faswn i wedi gorffan efo chdi dim ots be. Fedri di ddim gweld hynny?'

'Na fasat. Dw i ddim yn meddwl.' Ceisiodd Arwel wenu arni. 'A dwyt titha ddim yn coelio hynny chwaith— ddim go iawn.'

'Arwel—ro'n i *isio* gorffan efo chdi.'

'Oeddat, pan ffeindist ti allan dy fod di'n . . . ysti. Mi fedra i ddallt hynny.'

'Arglwydd! Yli, Arwel—dw i ddim isio gorfod dy frifo di eto . . . '

'O? Dyna inni gam yn y cyfeiriad iawn . . . '

'Iesu gwyn!' Collodd Gwenno'i hamynedd. Beth oedd ar y llwdwn? 'Ro'n i'n falch o ga'l blydi esgus i orffan efo chdi, os 'ti wir isio gwbod!' fe'i clywodd ei hun yn gweiddi.

Gwingodd Arwel fel petai Gwenno wedi'i daro.

''Ti'm yn meddwl hynna.'

Yndw! meddyliodd Gwenno. Dw i *yn* 'i feddwl o, damia chdi! Roeddat ti'n boring, boring, boring! 'Tasa chdi ddim mor uffernol o boring yna ella 'swn i ddim wedi mynd efo . . .

'Yndw,' meddai.

'O.'

Ni siaradwyd 'run gair rhyngddynt am ychydig. Safai Gwenno'n edrych dros y Traeth Mawr ac Afon Glaslyn draw at Finffordd a bryniau Meirionnydd, golygfa oedd mor glir ag un ar gerdyn post yng ngolau haul y gaeaf. Syllodd Arwel yn ddall ar fwrlwm y dŵr, yna teimlodd ryw awydd sydyn i chwythu'i drwyn. Synhwyrodd arogl cyfarwydd powdr golchi'i fam ar ei hances, a throes i edrych ar Gwenno. Gwelodd hi fel petai am y tro cyntaf; roedd hi'n dal i'w adnabod ef yn iawn, teimlai, ond roedd ef wedi colli pob adnabyddiaeth arni hi, a gwnaeth hyn iddo deimlo'n rhyfedd o israddol iddi rywsut.

'Wyt ti'n dal i fynd allan efo fo?' gofynnodd.

Ysgydwodd Gwenno'i phen.

'Roeddat ti'n dal i fynd allan efo fi pan est ti efo fo, yn doeddat?'

'Arwel . . . '

'. . . fues i 'rioed yn un da efo Maths, ond fedra i weithio hynny allan.'

'Gwranda—dw i'n gwbod 'mod i wedi dy frifo di, Arwel . . . '

'O, wyt? Llongyfarchiada.'

' . . . ond dyna'r peth gora ro'n i'n gallu'i neud dan yr amgylchiada.'

Ochneidiodd Arwel.

''Ti yn gweld hynny'n dwyt?'

'Wyddost ti be sy'n 'y ngha'l i'n fwy na dim, Gwenno? Be sy'n 'y mrifo i go iawn?'

'Be?'

'Wnest ti 'rioed ada'l i mi.'

'Gada'l i chdi be . . . ? O! Dw i'n gweld.'

'Yr holl amsar fuon ni'n mynd efo'n gilydd. Misoedd.'

'Naddo, dw i'n gwbod. Ond chwara teg, wnest titha'm trio'n galad iawn chwaith.'

Edrychodd Arwel arni mewn syndod. 'Be—oeddat ti *isio* imi drio?'

'O, Arwel—gad lonydd i betha rŵan . . . '

'Pam na fasa chdi'n deud?'

'Chawson ni'm llawar o gyfla, eniwe, efo dy fam i mewn ac allan o'r parlwr ffrynt 'na fath â rhyw blydi gwcw.'

'Gest ti ddigon o gyfle efo'r basdad arall 'na! Mi *wnest* di gyfla iddo fo, yn do?'

'Naddo. Y cyfla nath jyst . . . 'i neud 'i hun . . . Arwel, dw i'n mynd adra . . . '

'Blydi hél, Gwenno—ro'n i'n dy barchu di!'

Gwylltiodd Gwenno. 'Oeddat. A be dw i i fod i' neud? Bod yn ddiolchgar i chdi? Ia, mewn lyf stori fach neis, ella. Ond hen betha boring ydi lyf storis bach neis, 'ndê?'

'Fath â fi?'

'Wnes i'm deud hynny . . . o, dw i'n mynd!'

'Pwy oedd o, Gwenno?'

'Dwyt ti ddim isio gwbod, Arwel. A dw inna'n trio 'ngora i anghofio amdano fo.'

'Mi wna i ofyn i Carys Wyn.

'Gwna. Fyddi di ddim callach, achos dydi Carys ddim yn gwbod. Does 'na neb yn gwbod, Arwel. Dydi o'i hun ddim yn gwbod. 'Mond y fi sy—a dw i isio anghofio.'

'Wnei di byth.'

'Na wnaf, ma'n siŵr. Ond 'y mhroblam i ydi hynny—a dim byd i' neud efo chdi. Gad lonydd i mi, Arwel—plîs. Dw i'n mynd adra rŵan, a dw i ddim isio i chdi ddŵad ar fo'l i. Iawn?'

Gwrthododd Arwel ateb. Cychwynnodd Gwenno i ffwrdd. Cyn cymryd y tro ym mhen draw'r llwybr, taflodd gipolwg yn ôl dros ei hysgwydd. Roedd Arwel yn dal i sefyll ar ganol y bont, yn chwythu'i drwyn eto i mewn i'w hances wen.

Cerddodd Gwenno ymlaen heibio i'r tro.

* * * * * *

'Dyma'r tro cynta imi dy weld di mewn sgert, Lis,' meddai Mici. 'Ydw i i fod i deimlo'n onyrd, 'ta be?'

''Ti'n 'i licio hi?'

Camodd Mici'n ei ôl a gwnaeth sioe fawr o astudio'r sgert ddenim fini'n ofalus, gan adael i'w lygaid fynd am dro hamddenol i fyny ac i lawr coesau Lisa. Dechreuodd hi gochi.

'Dw i'n licio be ma' hi'n ddangos, 'ndê.'

'Wyt, mwn. Sglyf. Paid â syllu, Mici Jones.'

Gollyngodd Mici ei baced sigaréts ar lawr yn fwriadol. 'Wps! Wnei di'm codi rheina imi, Lis?'

Gwenodd Lisa arno, ond yn hytrach na gwyro i lawr amdanynt swatiodd ar ei chwrcwd i godi'r sigaréts.

'Titha wedi mynd yn hen beth digon sych yn ddiwedd-ar, Lisa Huws.'

'Cadw cwmni sych dw i. Mae o'n bownd o rwbio off arna i.'

Roedd y ddau'n eistedd yn nhafarn y Stesion, mewn hwyliau ardderchog. Nos Wener o'r diwedd, ac am y tro cyntaf ers ni wyddai pa bryd roedd gan Mici Jones ei fodan ei hun, bodan stedi. Ac un smart. Gwisgai Lisa grys-T Simple Minds dan ei siaced, yn ogystal â'r sgert ddenim a oedd yn ddigon cwta i wneud fel hances boced, a theits neilon duon o dan honno. Ffocsi, meddyliodd Mici, rwyt ti ar dy gollad, boi. Biti am ei gwallt hefyd . . .

'Dwyt ti ddim yn oer?' holodd.

'Na, ma' hi'n ddigon cynnas yma,' atebodd Lisa. 'Ac mi fydd hi'n boeth yn y disgo 'na, cofia.'

'Naci, naci—dydi dy ben di'm yn oer?'

'Nac 'di. Dw i 'di hen arfar, 'sti.' Edrychodd Lisa arno. 'Mici . . . Wyt ti'n licio fo? 'Y ngwallt i?'

'Wel, yndw . . .'

'Ma' 'na lot 'di deud 'mod i'n debyg i Eddie Ladd, 'mod i wedi'i chopïo hi. Ond o'n i wedi steilio 'ngwallt cyn i mi wbod pwy oedd honno.'

'Na, ma'n iawn. Grêt . . .'

'Hmmmm.' Chwythodd Lisa linyn o fwg yn amheus. 'Dw i'n meddwl 'mod i'n dechra mynd yn bôrd efo fo rŵan. Ella wna i'i dyfu o. Be 'ti'n feddwl?'

'Y. . . ia, ella 'sa fo'n newid bach i chdi. Fedri di was-
tad 'i dorri o eto.'

'Ia, dyna wna i, dw i'n meddwl. Gneud *fresh start* go
iawn. Ia?'

Gwasgodd Mici'i braich, a gwyrodd ati i'w chusanu.
'Ia. 'Ti isio i mi newid rhwbath? 'Ta ydw i'n berffaith fel
ydw i?'

'Mi wnei di'r tro—tan ddoith Mel Gibson heibio.'
Gorffennodd Lisa'i diod a chododd.

'Tyrd rŵan.'

'Be—rŵan?'

'Ia—ne chawn ni'm bwrdd.'

'Ond o'n i'n meddwl mai mynd yno i ddawnsio oeddat
ti am 'i neud?'

'Mi fyddan ni isio ista ryw ben, yn byddan?'

'Arglwydd, byddan!'

'Tyrd, 'ta.'

'Dw i ddim am ddawnsio i fiwsig crap, dallta, Lis.'

'Ia, ia—hogyn da, rŵan . . .'

* * * * * *

Dw i ddim isio bod yma, meddyliodd Arwel. Mae disgos
yn ca'l effaith debyg arna i i'r hyn mae eglwysi'n ga'l ar
Dracula. Roedd Gwenno wedi 'ngalw i'n hen ffash sawl
gwaith (*boring* roedd hi'n feddwl!), ond wir, mi fasa'n
well gen i fod adra efo llyfr difyr na cha'l fy myddaru'n
fan 'ma.

Ar Anwen Eleri roedd y bai. Y hi gafodd y syniad hurt o
gynnal noson i'r Chweched Dosbarth, am mai dyna'r
cyfle olaf gaen nhw cyn gorfod paratoi am arholiadau'r
'Dolig. Doedd 'na neb arall wedi meddwl am y peth—
doedd 'na neb *isio* noson, ddim go iawn, ond 'i bod hi
wedi hefru a hefru nes bod pawb wedi cytuno er mwyn
cau'i cheg hi. Hen swnan fuodd hi 'rioed. Duw a helpo

pwy bynnag fyddai'n ddigon gwallgo i briodi'r fath regarug . . .

'Gwena, Arwel,' gorchmynnodd Anwen Eleri.

'Sori, Anwen.' Gwenodd Arwel yn ufudd, gwên ddannedd gosod os bu un erioed.

'Dyna welliant. Dydi o'n bleser ca'l bod yng nghwmni cês fath â Arwel, dudwch, bawb?' gofynnodd Anwen blydi Eleri i weddill y bwrdd, a dyna bron i ddwsin o leisiau'n chwerthin fel udfilod yn cael eu difyrru gan udfil arall a oedd yn ei ffansïo'i hun fel dipyn o Ben Elton.

Cochodd Arwel, gan deimlo'i blorod yn ymuno yn y sbri. Duw a ŵyr, roedd wedi ceisio'i orau glas i beidio â dod heno, ond roedd dadlau efo Anwen Eleri—unwaith roedd hi wedi penderfynu dros bawb—fel ceisio gwagio Llyn Tegid efo llwy de. Athrawes fydd hi ar ôl gadael 'rysgol, proffwydodd Arwel: athrawes neu brif weinidog. Gwyddai petai heb ddod heno, na fyddai'n cael clywed diwedd y peth. Hen ddigon oedd cael Gwenno'n ei alw'n *boring*, diolch yn fawr.

'Dy ffansïo di ma' hi, 'sti,' meddai Gwyn Hurt wrtho'n slei bach.

Edrychodd Arwel arno, gan feddwl, nefi wen! Ma' hwn yn haeddu'i enw, os ydi rhywun! 'Paid â siarad drwy dy het.'

'Dw i'n deud wrtha chdi. Pam 'ti'n meddwl roedd hi gymaint am dy ga'l di i ddŵad heno 'ma? Ma' hi ar d'ôl di, Elis. Ac ma' hi 'di gweld 'i chyfla rŵan, yn dydi, ers i chdi orffan efo Gwenno Lloyd.'

'Hurt—jest cau hi, iawn?'

'Sbia arni hi! Yli sud ma' hi'n ista, efo'i choesa'n pointio ata chdi. *Body language*. Mi fasa dyn dall yn gweld hynny.'

'Be wyddost ti am *body language*?'

''Ti isio newid lle, 'ta? Gei di weld wedyn os wneith hi droi'i choesa atat ti.'

Roedd Arwel yn eistedd mewn cadair go gyfforddus, tra oedd Gwyn Hurt ar stôl isel.

'Dw i'n iawn lle dw i, diolch.'

'Faswn i'm dau chwinciad yn mynd i'r afa'l efo hi'n hun. Ma' hi'n beth ddigon handi.'

Clywodd Betsan Penmorfa hyn, a rhoes bwniad go hegar i Gwyn. 'Secsusts!'

Gwyrodd Anwen Eleri ymlaen, yn drwyn ac yn glustiau i gyd. 'Be oedd hynna?'

'Y ddau fochyn yma oedd wrthi'n trafod rhyw hogan. *Sex objects* ydi genod i chdi'n dê, Gwyn Hurt?'

'*Chance would be a fine thing*,' ochneidiodd Gwyn.

Edrychodd Anwen Eleri ar Arwel am eiliad. Oedd yna wên fechan, wybodus yn ei lygaid . . .? Callia, Elis, wir Dduw!

Roeddynt wedi meddiannu tri bwrdd wrth ymyl y llawr dawnsio, a bloeddiai'r grŵp New Kids on the Block arnynt o'r tywyllwch y tu ôl i'r goleuadau amryliw. Edrychodd Arwel o'i gwmpas, gan sylwi bod y lle wedi llenwi cryn dipyn yn ystod yr hanner awr ddiwethaf. Dawnsiai dwy ferch efo'i gilydd, eu bagiau llaw ar y llawr rhyngddynt fel polion totem byr. Rhyfedd fel yr oedd merched yn meddwl dim o ddawnsio efo'i gilydd, meddyliodd Arwel. Mi fasa 'na sylwada go amheus yn cael eu gneud 'tasa 'na ddau o hogia'n cychwyn gneud.

Cododd ac aeth at y bar, lle bu am bron i ddeng munud yn ceisio dal sylw'r barman. Roedd ar fin cael gwasanaeth o'r diwedd pan achubwyd y blaen arno gan lais yn gofyn am beint o bityr a hanner o lagyr. Troes Arwel yn biwis i weld Mici Jones yn sefyll wrth ei ochr, wrthi'n tanio sigarét.

'Y fi oedd nesa, dw i'n meddwl,' meddai Arwel.

'Ia?' gollyngodd Mici'i fatsen i flwch llwch ar y bar.

'Dw i'n disgwl i ga'l 'yn syrfio ers deng munud.'

'Be 'ti isio—medal?' Cyrhaeddodd yr hanner o lagyr a throes Mici i'w roi i Lisa Huws, a safai'r tu ôl iddo. Nofiodd y mwg o'i sigarét i mewn i lygaid Arwel. Cododd yntau'i law i rwbio'i lygad, a rhoes bwniad damweiniol i fraich Mici wrth i hwnnw dderbyn ei beint gan y barman.

'Cym' bwyll, y bansan uffar!'

'Sori. Damwain oedd hi . . . '

'Dyna be wyt titha hefyd, os 'ti'n gofyn i mi.' Gwgodd Mici arno cyn gwthio'i ffordd o'r bar.

''Ti'n gwbod pwy oedd hwnna'n dwyt?' meddai Lisa ar ôl iddynt eistedd.

'Pwy?'

'Y boi gwallt coch 'na wrth y bar. Dy hen reifal di, Mic.'

'Be 'ti'n feddwl?'

'Hwnna oedd yn arfar mynd allan efo Gwenno Lloyd.'

'Be—y peth pimpyls 'na? Blydi hél! Ma' 'na obaith i bawb, felly.'

'Mi wnest ti ffeindio hynny'n do, Mic?' pryfociodd Lisa.

'Ma'n siŵr 'mod i fath â awyr iach iddi ar ôl rhywun fel 'na efo wynab fel dartbord.'

* * * * * *

Dychwelodd gwrthrych eu sgwrs o'r bar efo gwydraid o seidr. Dyma'r trydydd peint iddo'i gael heno, ac yn barod teimlai chwiban feddw'n cychwyn yn ei ben. Pwyll, Elis, fe'i rhybuddiodd ei hun, cofia nad wyt ti wedi arfar yfad yn drwm. Gwelodd fod Gwyn Hurt wedi symud i eistedd yn ei gadair ef, gan adael y stôl i Arwel. Gwnaeth ystum ar i Gwyn symud yn ôl.

''Rhosa am funud bach, i chdi ga'l gweld 'mod i'n iawn am honna. Nodiodd Gwyn i gyfeiriad Anwen

Eleri.

'Hurt . . . '

''Mond am funud.'

Ochneidiodd Arwel, ac eisteddodd ar y stôl. Ef oedd y nesaf at y llawr dawnsio, a phob hyn a hyn câi ei bwnio yn ei gefn gan un o'r dawnswyr.

''Na chdi, yli. Be ddudis i, Elis? Y? Be ddudis i?'

Roedd Anwen Eleri wedi troi yn ei sedd nes bod ei choesau'n pwyntio at Arwel. Gwelodd ef yn edrych a gwenodd arno.

''Ti'n 'y nghoelio i rŵan, 'ta?'

'Paid â bod mor thic . . . ' Ond *roedd* hi wedi gwenu arno hefyd.

'Ma' 'na stôl wag wrth 'i hochor hi. Dos yna i ista.'

'Sêt Alison ydi honna.'

'Ma' Alison yn dawnsio efo Polo Mint ers meitin.'

'Na, dw i'n iawn lle ydw i . . . ' Cafodd Arwel bwniad arall yn ei gefn. Gwisgai Anwen Eleri ffrog a gwddf isel iddi, a gwyrodd ymlaen dros y bwrdd i wrando ar Betsan Penmorfa. Dwy soser oedd llygaid Arwel wrth iddo syllu i lawr blaen y ffrog. Cymerodd lwnc arall o'i seidr yn frysiog. Doedd bosib na allai weld ei fod yn sbio arni. Cafodd bwniad arall yn ei gefn nes cleciodd ei wydryn yn erbyn ei ddannedd.

Cododd.

'Ga i ista'n fan'na? Dwi 'n ca'l 'y mhwnio yn 'y nghefn drwy'r amsar ar y stôl 'ma, a does 'na'm golwg fod Alison a Polo Mint am ddŵad yn ôl am sbelan.'

'Be?'

Sylweddolodd Arwel fod Anwen Eleri heb glywed 'run gair o'i araith, diolch i'r gerddoriaeth fyddarol. Ysgydwodd ei ben, a pheri i bawb godi er mwyn iddo fedru cyrraedd y gadair drws nesaf i Anwen, taith a gymerodd gryn dipyn o amser iddo gan fod pawb wrthi'n sgwrsio. Cyrhaeddodd o'r diwedd, gan deimlo'i fod newydd ddringo'r Wyddfa.

'Whiw!' meddai, gan droi at Anwen Eleri efo gwên.

Doedd Anwen Eleri ddim yno. Edrychodd i fyny a'i gweld yn dawnsio efo Gwyn Hurt, o bawb.

'Et tu, Brute?'

'Be . . . ?' Edrychodd Cen Trens a Rhian Banc arno'n hurt, a sylweddolodd Arwel iddo siarad yn uchel. Roedd yn dechrau meddwi, a chododd ei wydryn i'w geg. Gwyliodd Anwen Eleri'n chwerthin am rywbeth roedd Gwyn Hurt newydd ei ddweud wrthi. Chwerthin am 'y mhen i rydach chi'r basdads? meddyliodd yn ffyrnig. Iesu, ma'r Anwen Eleri 'na'n ffansïo'i hun! Mae'n dawnsio fath â 'sa'r lle i gyd yn sbio arni, yn ysgwyd ei gwallt a phlygu ymlaen gan fflashio'i hen dits ar bawb. Ac mae'r Gwyn Hurt 'na'n edrach yn rêl llo, fath â doli glwt yn trio dawnsio.

Gwenno. Gwenno!

Y tu ôl i Gwyn ac Anwen cafodd gipolwg ar yr iob Mici Jones 'na a'i fodan, honno'n dangos ei thin i bawb. 'Tasa gen ti goesa gwerth sbio arnyn nhw fasa hynny'n rhwbath, barnodd Arwel, gan symud ychydig yn ei gadair er mwyn eu gweld yn well. Ac mae golwg y diawl ar dy wallt di, hynny sgen ti, fath â 'sa chdi wedi dengyd o ryw garchar neu'i gilydd. Gwelodd Lisa'n ei ddal yn edrych ar ei choesau. Dim ots gen i, heriodd hi'n ôl yn fud. 'Tasa chdi ddim isio i neb sbio arnyn nhw, mi ddyla chdi wisgo trowsus. Gorffennodd y record, a daliodd Lisa i edrych arno am eiliad neu ddau cyn dilyn Mici Jones o'r llawr dawnsio.

Gwenno!

Sylweddolodd Arwel ei fod yn eistedd ar ei ben ei hun mwyaf sydyn. Roedd pawb arall un ai'n dawnsio neu wedi'u gwasgaru trwy'r adeilad. Gwelodd hefyd fod ei wydryn yn wag, er nad oedd ganddo gof iddo orffen ei ddiod.

Iesu, Gwenno—dw i'n dy garu di!

Cododd, gan deimlo am ennyd ei fod yn sefyll ar fwrdd

llong mewn storm. Arhosodd nes i'w fyd lonyddu ychydig cyn gwau'i ffordd yn sigledig rhwng y dawnswyr at y bar.

'Reit—'na ni rŵan, tan gawn ni fiwsig call!' cyhoeddodd Mici Jones. 'Ma' hi wedi troi deg, a dw i'n dal yn sobor. 'Ti'n ddylanwad drwg arna i, Lis.' Eisteddodd yn falch, gan sychu'r chwys o'i dalcen â chefn ei law.

'Dw i'n benderfynol o dy ddysgu di i ddawnsio'n iawn, os mai dyna'r peth dwytha wna i.'

'Be 'ti'n feddwl? Dw i'n dawnsio'n O.K.'

'Wyt, o ddiawl. Ma' dawnsio efo chdi fath â dawnsio efo melin wynt.' Roedd Lisa'n syllu i gyfeiriad y bar. 'Welist ti hwnna'n sterio ar 'y nghoesa i?'

'Pwy rŵan eto fyth?'

'Hen gariad Gwenno Lloyd. Ych! Mae o'n rêl blydi crîp.'

'Ddaru Tomi roid uffar o slap i ryw foi am sterio ar goesa Carol. Gafodd o'i fanio o'r Glaslyn am hynny.'

'Dw i'n synnu fod y boi'n dal yn fyw,' rhyfeddodd Lisa. ''Ti'n dipyn o fêts efo Tomi Goch, yn dwyt?'

'Yndw,' cytunodd Mici. 'Hen foi iawn ydi o, 'sti, pan 'ti'n dŵad i'w nabod o'n iawn. Mi wneith o rwbath iti. Roedd o wedi ypsetio pan wrthododd Carol ada'l iddo fo weld y Kelvin 'cw.'

'Wel, do, debyg iawn,' meddai Lisa'n siarp. 'Mae o'n dad iddo fo, wedi'r cwbwl. Be 'ti'n ddisgwl? 'Sa chditha'n teimlo'r un fath.'

'Dw i ddim digon thic i roid clec i'r un hogan,' broliodd Mici.

'Be 'sa chdi'n neud 'swn i'n dŵad ata chdi un diwrnod a deud 'mod i'n disgwl?' gofynnodd Lisa.

''I ffaglu hi i Ostrelia.'

''Ti'm yn gwbod am be 'ti'n siarad, Mici Jones. Fedri di byth ddeud be wnei di, siŵr. Betia i chdi 'sa chdi wrth dy fodd, 'run fath â Tomi Goch.'

'No wê, hogan!'

'Dw i'n siŵr ma' dyna ddudodd Tomi Goch hefyd.'
Gwenodd Lisa. 'Paid â phanicio. Dw i'n ddigon gofalus,
hyd yn oed os nad wyt ti.' Troes i edrych dros yr ystafell,
a rhewodd. O . . .'

'Be?'

'Yli pwy sy newydd ddŵad i mewn.'

Dilynodd Mici edrychiad Lisa, a gwelodd Dei Slei'n
gwgu arno o'r bar. Chwifiodd Mici'i fysedd yn chwareus
arno.

'Paid â thynnu arno fo! Dydi o'm yn edrach yn
sobor iawn.'

''Sgen i'm ofn rhwbath fath â Ffocsi, siŵr Dduw.'

Gydag un edrychiad milain olaf i'w cyfeiriad, symudodd
Dei i ffwrdd o'r bar a diflannodd y tu ôl i'r dawnswyr.

'Dw i'm isio unrhyw has'l, Mici,' rhybuddiodd Lisa
ef.

'Be wnes i?' gofynnodd Mici'n ddiniwed i gyd.

'Ddim Tomi Goch wyt ti, cofia.'

Cusanodd Mici'i thalcen poeth. 'Lis—os bydd 'na
unrhyw has'l, ddim y fi wneith 'i ddechra fo. Iawn?'

''Ti'n gaddo?'

'Gaddo.' Gwenodd Mici arni. 'Dydi o ddim yna'i i
chwilio am drwbwl efo neb.'

'Ha!' Newidiodd y record i Bruce Springsteen yn
canu 'Tougher than the rest'. Cododd Mici gan afael yn
llaw Lisa.

'Miwsig call o'r diwedd!'

'Paid am funud bach, Mici . . . '

'Pam?'

'Wel . . .Ffocsi'n dê . . . '

'Bygro Ffocsi! Eniwe—fedri di'm ista tra ma'r Bòs yn
canu. Tyrd.

Ochneidiodd Lisa, ond gadawodd i Mici'i thywys i'r
llawr.

Aeth Dei Slei o'i ffordd i eistedd yn ddigon pell oddi wrth Lisa a Mici, chwarae teg iddo. Yr adeg yma o'r nos, fodd bynnag, roedd y mwyafrif o'r byrddau'n llawn—heblaw am un wrth y llawr dawnsio, lle'r oedd 'na hogyn efo gwallt coch yn eistedd ar ei ben ei hun, a golwg lac, feddw ar ei wyneb.

'Sud wyt ti?' cyfarchodd Dei ef.

Edrychodd yr hogyn yn llywaeth arno. 'Sud ma'i.'

'O Griciath 'ti'n dŵad, yndê?'

'Y . . . ?'

'Dw i'n dy gofio di yn 'rysgol.'

'O. Ia . . . '

''Ti'n chwil?'

'Be . . . ?'

''Swn i'n licio 'swn i, was,' meddai Dei, er ei fod yn y cyflwr hwnnw'n barod, diolch i'r croeso a gafodd yn y Llong, y Llew Coch a'r Sbortsman cyn dod yma. Pwyntiodd i ganol y dawnswyr. 'Weli di honna?'

'Pwy?' Prin y medrai Arwel weld erbyn hyn.

'Y fodan 'na'n fan'cw, honna efo'r mini sgyrt 'na.'

'O, ia.'

'Dyna be 'ti'n alw'n hwran, 'sti.'

'Ia?'

'Ia. A weli di'r boi 'na efo hi? Dyna be 'ti'n alw'n gi drain. Basdad o foi.'

'Yndi!' Cytunodd Arwel yn frwd â'r datganiad diweddar hwn. Oherwydd y sŵn, gorfu i Dei weiddi popeth yng nghlust Arwel, a dechreuodd clust hwnnw gosi.

'Mi aeth hi allan efo fo pan oedd hi'n dal i fynd allan efo fi, 'sti,' bloeddiodd Dei. 'A finna yn 'y ngwely'n sâl. Tw-teimar ydi hi.'

Gallai Arwel gydymdeimlo â'i gyfaill newydd. 'Dw i'n gwbod sud 'ti'n teimlo,' meddai, gan wasgu ysgwydd Dei. 'Gwbod yn iawn, hefyd. Mi ddaru Gw . . . '

'Ro'n i'n ama'i bod hi'n mynd efo'r Ci Drain,' torrodd Dei ar ei draws. 'Ma' gan Guns 'N Roses gân am hogan union 'run fath â hi.'

'''Dywed im, a gollaist tithau un a'th garai di?''' dyfynnodd Arwel yn floesg.

'Be . . . ? Na, na, ddim honna ydi hi,' mwydrodd Dei Slei. 'Dw i'm yn 'i chofio hi rŵan . . . sud ddiawl ma' hi'n mynd, hefyd . . . Dim ots. Be dw i'n ddeud ydi, ma' merchad i gyd 'run fath.'

'Yndyn, 'ti'n iawn!' Teimlai Arwel iddo golli cariad, efallai, ond dod o hyd i frawd.

'Mi eith n'acw efo rhywun, 'sti.'

'Eith, dw i'n gwbod . . . '

'Be? Sud 'ti'n gwbod?'

'Y chdi ddudodd rŵan.'

'O. Fedrith hi'm bod yn onast. 'Tasa hi ond wedi deud wrtha i fel hyn—Ffocsi, dw i isio gorffan efo chdi er mwyn ca'l mynd allan efo Mici Jones—ond na.'

'Na?'

'Na, roedd hynny'n ormod i ddisgwl gynni hi. Roedd yn well gynni hi fynd efo fo y tu ôl i 'nghefn i.'

'Yn hollol! 'Sti be, mi ddaru Gwe . . . '

'Ma'r ddau'n siwtio'i gilydd i'r dim. Ci Drain a hwran. Tebyg at 'i debyg.'

''Ti'n llygad dy le!'

''Ti'n 'i galw hi'n hwran hefyd?'

'Na, na . . . '

'Well i chdi beidio, was.'

'Na, na, sôn am Gwe . . . '

'Mi eith o efo rhywun hefyd, 'sti. Does 'na'r un fodan yn saff tra ma' Ci Drain o gwmpas y lle.'

'Nag oes, 'ti'n iawn.'

'Yndw, dw i'n gwbod. Ond sylwa di . . . ' Curodd Dei ochr ei drwyn â'i fys, fel Fagin. '. . . does 'na'r un hogan isio mynd efo fo'n hir iawn. Un noson barodd y ddwytha iddo fo.'

'Pwy oedd honno, sgwn i? Hogan gall, 'swn i'n ddeud.' Chwarddodd Arwel.

'Un noson. Mi fydd hi'n ddifyr gweld faint barith yr hwran efo fo, cyn gweld be ma' hi 'di golli.'

'Be ma' hi 'di golli?' holodd Arwel.

'Y fi'n dê!' Edrychodd Dei'n hurt arno. 'Wyt ti wedi bod yn gwrando arna i, 'ta be?'

'Do, do.'

'Mi welodd y ddwytha'r goleuni'n ddigon buan. Ci drain fuodd y diawl erioed. Peth fach ddel oedd hi, hefyd.'

'Pwy?'

'Hogan Ieu Garej, yndê. Iesu—wyt ti'n gwbod sud i iwsio dy glustia, was?'

Teimlodd Arwel y seidr yn troi yn ei stumog. 'Pwy oedd hi?'

'Dw i newydd ddeud wrthat ti. Arglwydd . . . '

'Pwy!'

Craffodd Dei arno. 'Hogan Ieuan Garej. Ysti—Gwenno rwbath. 'Ti'n nabod hi'n iawn. Ma' hi'n dal yn 'rysgol, dw i'm yn ama.'

Cododd Arwel.

'Lle 'ti'n mynd? Ma' gen ti hannar peint ar ôl.' Cychwynnodd Arwel i ffwrdd, ond baglodd dros goesau Dei. Gafaelodd hwnnw ynddo cyn iddo lyfu'r llawr. 'Cym' bwyll, was! Ga i orffan dy beint di, 'ta be?'

'Lle mae o?' Doedd Arwel ddim yn medru gweld Mici Jones yn nunlle. Fe'i rhyddhaodd ei hun gyda phlwc sydyn o afael Dei a diflannodd i ganol y dawnswyr.

Cymerodd Dei lwnc o wydryn Arwel. 'Hei! Seidar 'di hwn!'

Ond roedd Arwel wedi hen fynd.

* * * * * *

Cusanodd Mici a Lisa'n ffyrnig yn y cyntedd.

''Mond i'r bog dw i'n mynd,' meddai Lisa wedi iddynt wahanu, allan o wynt braidd.

'Wyt ti isio aros tan y diwadd, 'ta be?'

''Swn i'm yn meindio, yndê. Pam? 'Sgen ti blania erill?'

Meddyliodd Mici am y wal yng nghefn y gwesty. 'Ella . . .'

'Ma' hi'n ddigon buan,' meddai Lisa. 'Gawn ni weld sud eith hi 'ma am dipyn.' Cusanodd ef yn sydyn a diflannodd i mewn i doiled y merched.

Sylweddolodd Mici'i fod o angen gollwng deigryn dros Gymru hefyd. Aeth i mewn i le chwech y dynion, ac roedd wrthi'n gorffen ei fusnes pan faglodd rhywun i mewn yn feddw. Troes.

'O, chdi sy 'ma. . .' cychwynnodd.

Beth nesaf, roedd yn bowndian yn erbyn y mur, ei drwyn yn pistyllio gwaed a'r glec yn adleisio yn ei ben.

Collodd Arwel bob rheolaeth pan welodd y gwaed yn llifo o ffroenau Mici Jones. Roedd y cochni iraidd fel petai wedi rhyddhau rhywbeth cyntefig yn ei ysbryd, a neidiodd am wddf Mici fel ci yn ymosod ar lygoden fawr.

Roedd Mici, fodd bynnag, yn ormod o hen law ar gwffio i gael ei ddal eilwaith. Symudodd fel slywen gan adael Arwel yn cofleidio'r aer. Camodd yn ei ôl, yna plannodd ei ddwrn yn ystlys y llanc pengoch. Ffrwydrodd y gwynt o enau Arwel, a manteisiodd Mici ar hyn i afael ynddo gerfydd ei wallt, ei droi a'i daflu'n erbyn y mur nes i'w drwyn yntau agor fel pabi coch. Llithrodd Arwel i lawr, gan daflu i fyny'r un pryd, nes ei fod yn eistedd mewn pwll o biso, gwaed a chwd.

'Be ddiawl sy arnat ti!' gwaeddodd, yna teimlodd bâr o freichiau cryfion yn cau amdano o'r tu ôl. Sathrodd i lawr efo'i sawdl a theimlodd y breichiau'n ymlacio. Troes i weld y bownsar yn hopian fel llyffant y tu ôl iddo.

'Allan!' crawciodd hwnnw.

'Gwranda—y fo ddaru'i dechra hi . . . '

'Allan!'

'O.K. O.K.—dw i'n mynd. Ond dw i'n deud wrtha chdi, ddim y fi ddechreuodd betha. Y fo ataciodd fi'n gynta. Yndê?' apeliodd at y gynulleidfa a oedd wedi ymgynnull wrth y drws.

'Naci, tad!' dadleuodd rhyw lais. Camodd Dei Slei ymlaen. 'Y chdi ddechreuodd bigo arno fo, Mici Jones. Welis i chdi. Wnath y boi bach 'ma ddim byd i chdi. 'Mond dŵad i mewn am bisiad ddaru o.'

'Hei, tyrd yn dy flaen, Ffocsi . . . '

'Sbia arno fo!' meddai Dei wrth y bownsar am Arwel. 'Ydi hwn yn edrach fath â'r teip o foi fasa'n chwilio am drwbwl?'

''Ti'n iawn, was?' Gwyrodd y bownsar dros Arwel, a oedd yn beichio crio erbyn hyn.

'Gwenno . . . ' ebychodd Arwel.

Edrychodd y bownsar ar Mici. 'Dw i'n mynd i gyfri i dri,' meddai.

'Fedri di?' Cychwynnodd y bownsar godi'n fygythiol. 'O.K. O.K . . . '

'A 'ti'n *banned* o heno ymlaen, dallta.'

'Hei, c'mon . . . '

'Allan!'

Cerddodd Mici'n urddasol drwy'r dyrfa wrth y drws, fel Moses trwy'r Môr Coch. Arhosodd am eiliad wrth ymyl Dei Slei.

'Mi ga i di'n ôl am hyn, Ffocsi,' addawodd. Gwenodd Dei arno, ond doedd dim llawer o hyder y tu ôl i'r wên. Nodiodd Mici'n araf cyn cerdded yn ei flaen drwy'r dyrfa.

Roedd Lisa'n aros amdano yng nghefn y dyrfa, hances boced yn ei llaw.

'Ynda.'

'Be wyt ti, Lisa?'

'Ffysi. Dw i ddim isio i neb feddwl 'mod i'n mynd allan

efo Coco'r Clown.'

Gadawsant y gwesty. Roedd oerni'r awyr iach fel dŵr nant y mynydd ar ei wyneb.

'Be ddigwyddodd 'ta?'

'Ro'n i'n deud y gwir, 'sti, Lis. Y fo ddechreuodd hi. Ddaru o jyst ddŵad i mewn a rhoid uffar o slap i mi.'

'Am be?'

'Am ddim byd.'

Rhoes ei fraich am ysgwydd Lisa, a gwasgodd hithau'i ganol.

'Sori, Lis.'

'Am be, dywad?'

'Dw i 'di ca'l 'y manio o fan'na rŵan, diolch i'r twat bach pimpyls 'na.'

'Dim ots. Tyrd—awn ni i fyny i Ben 'Rynys.'

'Be—rŵan?'

'Ia. Ma' hi'n neis yno'r adag yma o'r nos.'

Cerddasant i fyny'r grisiau a'r llwybr caregog nes cyrraedd pen Bryn Coffa, y gofgolofn uchel i hogia Port a laddwyd yn y ddau ryfel byd. Eisteddasant ar y wal isel, gan edrych dros y dref.

''Ti'n iawn, Lis, ma' hi'n neis yma.'

'Jelys oedd o, 'sti.'

'Be?'

'Am dy fod di wedi bod efo'i fodan o. Dyna be oedd, saff i chdi.'

''Ti'n meddwl?'

'Dw i'n gwbod.' Closiodd y ddau at ei gilydd, gan wylio pobl yn morgrugo tua'u cartrefi yn y stryd odanynt. 'Pa reswm arall fasa gynno fo i dy ruthro di fel'na?'

'Duw a ŵyr. Glywist ti be ddudodd Ffocsi?'

'Do.'

'Mi ga i'r brych yn ôl am hyn'na.'

'Na, gad o, Mici.'

'Ond . . .'

'Mae o wedi ca'l talu'n ôl i chdi am fynd efo fi rŵan.

Gad o, dydi o'm werth o. Gad lonydd i betha rŵan.'

Cusanodd Mici'i boch. 'Rwbath i chdi, Lis.'

'Gaddo?'

'Gaddo. Mae o i gyd drosodd rŵan. Wir yr.'

Gorffwysodd Lisa'i phen yn erbyn ei fron. Trawodd yntau gusan ysgafn ar ei gwar.

Cyfarthodd llwynog ymhell yn y tywyllwch y tu ôl iddynt, ei sŵn yn teithio'n glir tuag atynt ar awel fain y nos.

Hefyd yn y gyfres:

Ar Agor fel Arfer addas. Huw Llwyd Rowlands
   (Gwasg Gomer)
Gwarchod Pawb! addas. Hazel Charles Evans
   (Cyhoeddiadau Mei)
Mêl i Gyd? Mair Wynn Hughes (Gwasg Gomer/CBAC).
Llygedyn o Heulwen Mair Wynn Hughes
   (Gwasg Gomer/CBAC)
Tipyn o Smonach Mair Wynn Hughes
   (Gwasg Gomer/CBAC)
Mochyn Gwydr Irma Chilton
   (Gwasg Gomer)
Dwy Law Chwith Elfyn Pritchard
   (Gwasg Gomer)
Codi Pac addas. Glenys Howells
   (Gwasg Gomer)
Un Nos Sadwrn . . . Marged Pritchard
   (Gwasg Gomer)
Cari Wyn: Cyfaill Cariadon addas. Gwenno Hywyn
   (Gwasg Gwynedd)
Gwsberan addas. Dyfed Rowlands
   (Gwasg Gomer)
Cymysgu Teulu addas. Meinir Pierce Jones
   (Gwasg Gomer)
Coup d'État Siân Jones
   (Gwasg Gomer)
Gadael y Nyth addas. William Gwyn Jones
   (Gwasg Gwynedd)
'Tydi Cariad yn Greulon Gwenno Hywyn
   (Gwasg Gwynedd)

Mwy o NOFELAU CYFOES o'r Lolfa—

UN PETH 'DI PRIODI, PETH ARALL 'DI BYW
Dafydd Huws   **£4.95**

Mae Goronwy Jones, y Dyn Dwad, yn ôl—y tro hwn
fel aelod aflwyddiannus o Ddosbarth Canol Cymraeg
Caerdydd, ac awdur i S4C! Nofel gyfoes eithriadol o
ddoniol yn berwi o olygfeydd ffarsaidd a dychan
miniog.
0 86243 221 9

CYW HAUL
Twm Miall   **£3.95**

Nofel liwgar, wreiddiol am lencyndod mewn pentref
gwledig ar ddechrau'r saithdegau. Braf yw cwmni'r
hogia a chwrw'r *Chwain*, ond dyhead mawr Bleddyn
yw rhyddid personol. . .
0 86243 169 7

CYW DÔL
Twm Miall   **£4.45**

Crwydra Bleddyn o fflat i fflat, o swyddfa dôl i
swyddfa post, o'r New Ely i'r Claude, o Nerys i
Karen, ond nid yw'n hapus, hyd yn oed wedi llwyddo
i gael swydd garddwr gyda Mrs Maelor Jones, y wraig
'cachu posh Cymraeg'. . .
0 86243 229 4

DIAWL Y WENALLT
Marcel Williams **£4.45**

Ym Mawrth 1953, arhosodd y Bardd Mawr, Dylan
Thomas dros nos ym mhentref Cwmsylen. Nid yw'r
pentrefwyr byth wedi maddau iddo am ddigwydd-
iadau'r noson—ac o'r diwedd daw cyfle iddynt ddial
arno'n llawn. . .
0 86243 200 6

TORRI'N RHYDD
Eirwen Gwynn **£3.95**

Nofel am ddau efaill ond hefyd am y tyndra rhwng
gyrfa a theulu, rhwng gwerthoedd traddodiadol a
chyfoes, rhwng dyheadau personol a disgwyliadau
cymdeithas barchus. . .
0 86243 216 2

FORY DDAW
Shoned Wyn Jones **£3.25**

Nofel fywiog am flys, am ieuenctid, am briodasau
amherffaith iawn, ac am gyfeillgarwch glos rhwng
dwy ferch o gefndiroedd gwahanol.
0 86243 196 4

BLAS YR AFAL
Eifion Lloyd Jones **£3.95**

Ni freuddwydiodd Gruffydd Owen y byddai treulio un
wythnos nefolaidd ym Mhorth y Gest yn effeithio ar
batrwm gweddill ei fywyd. Cafodd funud o bleser
benthyg, ond oes o fyw gyda'r atgof. . . a'r
canlyniadau.
0 86243 201 4

YSTYRIWCH LILI
Mari Ellis **£2.45**

Nofel swynol a choeth yn portreadu merch ifanc ar ei
thwf mewn ficerdy gwledig cyn yr Ail Ryfel Byd.
0 86243 164 6

YSGLYFAETH
Harri Pritchard Jones   £2.95
Stori am berthynas hanner Cymro a hanner Gwydd-
eles danbaid yng nghanol berw dryslyd, gwaedlyd
Gogledd Iwerddon. A fedr y ddau gariad osgoi mynd
yn ysglyfaeth i'r rhyfel rhwng Lloegr ac Iwerddon?
0 86243 151 4

CWRT Y GŴR DRWG
Roy Lewis   £3.95
Yn ôl y wasg, y mae'r Athro John Griffiths i fod wedi
saethu ei hun mewn bwthyn unig ar ben clogwyn
anghysbell ym Mhenrhyn Gŵyr ond mae Gwydion
Rhys yn amau tystiolaeth y cwest. . .
0 86243 178 6

YMA O HYD
Angharad Tomos   £2.95
Nofel am fywyd mewn carchar merched ac am
deimladau cymysg, cignoeth Cymraes yn y fath le;
enillodd wobr yr Academi Gymreig.
0 86243 106 9

Y LLOSGI
Robat Gruffudd   £3.95
Nofel gyffrous, swmpus (288 tud.!) a 'hynod ffres ac
arloesol' am Gymru heddiw. Enillydd Gwobr Goffa
Daniel Owen.
0 86243 118 2

Y CARLWM
Judith Maro   £3.95
Pwy yn hollol yw'r Pwyliad unig sy'n byw yn Nhyddyn
Isaf, a beth yw ei gysylltiad â llofruddiaeth gwraig
weddw yn Llundain? Nofel gyfoes yn llawn cyffro—a
gwleidyddiaeth!
0 86243 110 7

YN ANNWYL I MI
Heini Gruffudd   **£3.45**

Nofel gyfoes am gariad a chasineb rhwng y rhywiau a
rhwng Dwyrain a Gorllewin.

0 86243 114 X

DYN Y MYNCI
Wil Sam (W.S.Jones)   **£1.40**

Storïau yn byrlymu o hiwmor a phathos; yn ddwfn eu
hadnabyddiaeth o'r gymdeithas naturiol Gymraeg, a
hefyd o'r natur ddynol yn ei hanner-pander
sylfaenol. . .

0 904864 86 3

DYFROEDD DIEFLIG
Stokes Day   **£2.45**

Nofel iasoer, afaelgar a chyfoes am derfysgwyr sy'n
cipio llwyth o wastraff o Drawsfynydd ac yn achosi
'stâd o argyfwng' yn Ynys Prydain.

0 86243 048 8

Y CLOC TYWOD
(Athro) Gwyn Williams   **£2.95**

Nofel anarferol am ddau Gymro—awyrenwr a
morwr—sy'n crwydro anialwch gogledd Libya
ddiwedd y rhyfel diwethaf, ac yn taro'n annisgwyl ar
bedair o ferched. . .

0 86243 075 5

DAWNS ANGAU
Roy Lewis   **£1.95**

Dyma'r storïau iasoer a ditectif oedd yn sail i gyfres
Gwydion ar S4C, sy'n serennu'r ditectydd Gwydion
Rhys. Mae'r storïau gwreiddiol yn well byth!

0 86243 019 4

BWRW HIRAETH
Dafydd Parri   **£1.45 (c.caled £2.45)**

Deg stori afaelgar am gariad melys a chwerw, cudd ac agored, newydd ac hen, parchus a pheryglus—gan awdur Y Llewod!

0 86243 006 2

CLIFF PREIS I—GOHEBYDD ARBENNIG
Tim Saunders   **£2.45**

Wedi sawl chwisgi mewn Coleg, Oriel, Tatŵ a Chynhadledd, caiff Gohebydd Arbennig y *Morgannwg Jyrnal* ei ddal mewn datblygiadau gwleidyddol annisgwyl a pheryglus. . .

CLIFF PREIS—DARLITHYDD COLEG
Tim Saunders   **£3.45**

Mae Cliff Preis, Gohebydd Arbennig y *Morgannwg Jyrnal*, bellach yn Gymrawd mewn Cyfathrebu yng Ngholeg Caerllechwedd, ond tarfir ar ei hedd gan lofruddiaeth y Prifathro. . .

0 86243 112 3

CYFRINACH Y CASTELL
Steffan Griffith   **£2.45**

Pwy laddodd Betty Landon? Nofel llawn dirgelwch wedi ei lleoli yn y ganrif ddiwethaf mewn castell ar yr Arfordir Aur. . .

0 86243 148 4

Y NOSON WOBRWYO
Heini Gruffudd   **£1.60**

Mae llenorion pwysicaf Cymru wedi dod i noson wobrwyo flynyddol Awdurdod Diwylliant Cymru. Nid oes neb ohonynt, yn eu nofelau gwylltaf, wedi breuddwydio y câi Pennaeth yr Awdurdod ei lofruddio. . .

0 904864 03 0

DAN LEUAD LLŶN
Penri Jones   **£2.45**

Nofel gyntaf—ac orau?!?—awdur *Jabas* yn rhoi
darlun byw, cignoeth o ferw bywyd Cymry ifainc. Yn
gefndir mae panorama hardd Llŷn ond y cefndir
ehangach yw Cymru gaeth a'i holl densiynau.
0 86243 028 3

*Am restr gyflawn o'n holl gyhoeddiadau,
mynna gopi o'n catalog newydd 80-tudalen.
Anfonir yn rhad ac am ddim gyda throad y
post. Hawlia dy gopi nawr!*

Talybont, Ceredigion SY24 5HE
ffôn (0970 86) 304, ffacs 782